Inhalt

IMPRESSUM © Disney Enterprises, Inc. 2012, Walt Disney Lustiges Taschenbuch Sonderedition erscheint bei Egmont Ehapa Verlag GmbH, Wallstr. 59, 10179 Berlin I **Geschäftsführer** Ulrich Buser I **Chefredaktion** Peter Höpfner (v.i.S.d.P.) I **Marketing & Kooperationen** Jörg Risken (GL-Disney) j.risken@ehapa.de, Matthias Maier (Senior Produkt-Manager) m.maier@ehapa.de I **Druck** GGP Media GmbH, Karl-Marx-Str. 24, 07381 Pößneck I **Repro** Meyle & Müller GmbH und Co. KG I **Anzeigenleitung** Ingo Höhn (verantwortlich) Tel. 030-24008100 I **Kontakt Walt Disney Publishing** Jürgen Drescher magazine@disney.de I **Freie Mitarbeiter dieser Ausgabe** Gudrun Penndorf Michael Bregel, Peter Daibenzeiher u. a. (Übersetzung) I Sigi Hepner, Ursula Ries, Steffen Uzler (Grafik) I Die Redaktion arbeitet auf Grundlage der neuen amtlichen Rechtschreibregeln und hält sich bei Auswahlfällen an die vom Duden bevorzugte Schreibweise I **Leserservice** Lustiges Taschenbuch Sonderedition-Leserservice, 20080 Hamburg, E-Mail: info@ehapa-service.de, Tel. 030-99194680 (reguläre Gesprächsgebühren für einen Anruf im deutschen Festnetz gemäß Ihrem Anbieter und Tarif)

www.lustiges-taschenbuch.de
www.egmont-mediasolutions.de
www.ehapa-shop.de
www.ehapa.de

Editorial

Liebe Leserinnen und Leser!

65 Jahre
Dagobert Duck –
ein beeindruckendes Jubiläum auch
für den reichsten Erpel der Welt.
Zu diesem Anlass veröffentlicht der Egmont
Ehapa-Verlag eine vierbändige
Sonderedition, natürlich mit Goldfolie!
Die Bücher versammeln eine Auswahl
der besten Autoren und Zeichner
aus den Lustigen Taschenbüchern.
Als besondere Zugabe bietet dabei jede
Ausgabe zwei deutsche Erstveröffentlichungen,
natürlich von und mit Dagobert Duck.
Fein und fantastisch!

Viel Vergnügen wünscht
die LTB-Redaktion

Mehr zu Dagobert Duck und dem LTB unter

Im Bann des Zappodusto

Schon fünf Minuten über der Zeit!

Mittag durch und kein hungriger Onkel Donald auf der Matte? Seltsam.

Er ist im Geldspeicher und bettelt um seinen Lohn.

Ach so. Dabei kann ihm schon mal der Appetit vergehen.

Da kommt er und sieht ganz fröhlich aus!

Ich staune!

Kinder, wir sind reich! Wir sitzen auf einem Vermögen!

Seit wann?

Seit heute! Onkel Dagobert hat mir so viel bezahlt, wie ich sonst in drei Jahren verdiene!

Ist auf einem so winzigen Vermögen Platz zum Sitzen?

Die frechen Reden werden euch beim Nachzählen vergehen. Bitte sehr!

Was?

Also, ich seh gar nix.

Außer den leeren Händen, mit denen du immer aufkreuzt.

Herzig, euer Humor. Aber heute bringt mich keiner auf die Palme! Ab mit dem Kapital in die Kasse. Und zur Feier des Freudentages...

...gönne ich mir ein Festmahl im teuersten Lokal von Entenhausen!

Was denkt ihr?

Das lässt sich schlecht in Worte fassen.

Jedenfalls schuldet uns Onkel Dagobert eine Erklärung, so viel steht fest!

Und Schulden treibt man sofort ein, das haben wir von ihm gelernt! Kommt!

Sieh an, die werten Großneffen! Was führt euch zu mir?

Nachforschungen, Onkel Dagobert.

Auch finanzieller Art.

Wir möchten wissen, was du mit Onkel Donald angestellt hast! So durch den Wind haben wir ihn noch selten erlebt!

Da kümmert man sich selbstlos um seinen Nächsten und sieht sich dennoch mit Klagen konfrontiert.

Aber kommt näher, Kinder, ihr sollt auch haben, was euer Onkel hatte... nämlich die Wahl! Wollt ihr Taler oder alte Golddublonen?

Ihr kriegt beides! Schaut mir in die Augen, Jungs!

PLING!

9

Machst du Witze oder hast du vergessen, was uns Onkel Dagobert eben zugesteckt hat?

Wahrscheinlich herrscht nach der Bauchlandung ein bisschen Chaos in deiner Birne. Das legt sich.

Im Gegenteil! Der Sturz hat alles wieder zurechtgerückt!

Aufgewacht!

Uack!

Onkel Dagobert hat uns an der Nase herumgeführt, genau wie Onkel Donald! Das lassen wir uns nicht bieten, Brüder!

Wir stellen ihn zur Rede! Auge in Auge! Aber nicht ohne eine gescheite Sonnenbrille als Schutz.

Bei Schutz fällt mir ein, dass Onkel Donald wohl gerade in der Goldenen Gans schlemmt!

Und wenn wir nicht bei ihm sind, bevor es ans Blechen geht, steckt er bis zum Bürzel im Schlamassel!

Herrje!

Ich habe lange gesonnen, wie mein Sicherheitssystem zu verbessern wäre. Aber das kostet! Ich würde verarmen bei dem Versuch, reich zu bleiben.

Daher habe ich mich entschlossen, auf ungewöhnliche Mittel zu vertrauen!

Welche Mittel?

Die Macht der Magie! Sehr wirkungsvoll in den Händen eines geschulten Kopfes, sozusagen.

Du hast meinen Geist manipuliert?

Mit Mühe! Zuerst musste ich ihn finden. Frag nicht...

Willst du die Panzerknacker hypnotisieren?

Ein wenig filigraner gestalten sich meine Vorkehrungen schon.

Nicht umsonst hatte ich Unterricht bei dem berühmten Zauberer Zappodustro, der Welt auch bekannt als „der zoroastrische Zausel"!

Zappodustro weilt seit vielen Jahrhunderten nicht mehr unter uns. Doch in meinem Besitz befanden sich Fragmente von Lehrschriften aus seiner Hand!

Durch ein völlig unverständliches Verfahren war es möglich, daraus Gestalt und Stimme des Meisters gewissermaßen zu filtern und auf eine handelsübliche Rolle Film zu bannen.

Du warst also in der Gegenwart Zeuge von Zauberlehren, die Zappodustro vor Jahrhunderten erteilt hat?

Nichts Geringeres als das!

Zeigst du es uns auch?

Wenn es euch Freude macht, warum nicht? Kommt mit!

Aber wahrt Stillschweigen über alles, was ihr seht!

Verlass dich drauf!

15

Darf ich vorstellen? Maestro Zappodustro!

Das Bild ist unscharf, aber neue Projektoren gibt es nicht umsonst! Ich habe gefragt.

Und hast du noch was anderes gelernt außer Hypnose?

Alles, wessen es bedarf, meine Barschaft zu schützen.

Ich höre deine stummen Zweifel wohl, Neffe, und will den Beweis antreten! Siehst du den Kater?

Dann pass jetzt genau auf, was passiert!

Die Wirklichkeit ist Wachs in den Händen eines Magiers, das muss man wissen!

PIFF!

Du siehst das Tier nicht, aber es ist da. So wie mein Geldspeicher da sein wird, wo er immer war, nur eben verborgen vor den gierigen Augen der Banditen!

MIAUUU! MIOOO! MIAU?

HOPS! HOPS! HOPS!

Ist ja gut, alter Mauser! Hör auf zu maunzen!

Der ist ziemlich neben der Spur!

Den Panzerknackern wird es nicht anders ergehen.

17

Ehrlich gesagt, Jungs, mich überzeugt Onkel Dagoberts Vorhaben nicht wirklich.

Wenn schon Zauberei, warum verhext er die Ganoven dann nicht in Gartenzwerge?

Weil die Magie nur zur Verteidigung taugt, hat er gesagt.

An dem Punkt war der gute Zappodustro eigen. Der hatte was gegen Gartenzwerge. Aber ich finde die Idee gut! Stell dir vor, was die Panzerknacker...

...für Augen machen, wenn sie nach der Beute schauen und blicken, dass sie nichts sehen!

Hmpf! Mir schwirrt der Kopf, Jungs! Ich hab eine Überdosis Magie abbekommen und dafür ist mein armer Magen unterversorgt.

Höchste Zeit, die Dinge wieder ins Gleichgewicht zu bringen! Mjam!

Leise! Ich will nicht, dass mein Geheimnis zum Gemeingut verkommt, Neffe!

Wack!

Die Tarnung muss sein. Man wähnt mich schließlich weit weg bei meinem Geldspeicher.

Ach, Kinder! Was für eine Freude, sich endlich völlig sicher fühlen zu dürfen!

Und Freude ist förderlich für den Appetit! Lasst uns zu Tisch gehen, ihr Lieben!

Hrmpf!

Doch während sich Onkel Dagobert noch sanft in Sicherheit wiegt, braut sich andernorts bereits ein Sturm zusammen. Das Verschwinden des Geldspeichers hat nämlich den Gemeinderat von Entenhausen in helle Aufregung versetzt...

Hinter dieser Aktion steckt eindeutig das Vorhaben, sich um die wohnortabhängigen Steuern zu drücken!

Ich rege daher eine Sonderabschlagssteuer an, zu erheben auf sämtliche Gewinne, die Herr Duck mit seinen Firmen einfährt.

Und auf seine Verluste gleich dazu!

Wer für den Vorschlag ist, hebt seine Stimmkelle! Gegenstimmen merke ich mir.

SCHNIRCH!

SCHNARGH!

SCHRIFTFÜHRER

Aufwachen, Schriftführer! Sie haben Stimmen zu zählen!

Ups!

SCHRIFTFÜHRER

Eins... zwei... drei... sieben Kellen sehe ich! Der Vorschlag wurde folglich einstimmig angenommen!

KLATSCH!

KLATSCH!

21

Einige Tage später...

SCHLUCHZ!

WIMMER!

Herrje! Wie er leidet! Das kann man ja nicht mit ansehen! Äh... Unfug...

Besser ich schau nach, was ihn quält.

Doch auch, wenn der Geldspeicher derzeit alles andere als ins Auge springt, steht er noch genau wie eh und je... und zwar im Weg, in diesem Fall...

BATSCH!

ROMMS!

Das klingt teuer. Ich hoffe, ich bin nicht schuld.

Donald? Willst du, dass man mir auf die Schliche kommt? Rein mit dir, schnell!

Ich hab dich gehört, und da dachte ich...

Das hat mir noch gefehlt.

Beruhige dich! Ich bin nicht der Einzige mit leidlich guten Ohren.

Beruhigen? Pah! Das sagt sich so leicht! Hier, lies! Man hat mir eine Sondersteuer aufgebrummt! **Schluchz!**

Dafür sparst du dir die normalen Steuern! Und die sind höher!

Goldjunge, du! Auf den Gedanken bin ich gar nicht gekommen! Ja, die Magie zahlt sich aus!

Doch die geheimen Mächte, denen Onkel Dagobert zu gebieten glaubt, sind geheimnisvoller, als er sich träumen lässt. Und eines schönen, oder besser... eines schrecklichen Abends...

Kein Mensch weit und breit. Du kannst reingehen.

Gute Nacht, Kinderchen!

AAAARGH!

Au! Große Katastrophe!

23

24

Bringen wir ihn zu uns nach Hause, bevor uns noch jemand bemerkt.

Bald...

Seufz! Ich bin am Ende, Kinder. Bucht ein Zimmer für mich im Armenhaus. Auf der Etage für ehemalige Reiche.

Das hat Zeit, Onkel Dagobert. Zuerst versuchen wir, deinen Geldspeicher zu finden. Irgendwo muss er schließlich sein!

Nur wo? Die Welt ist groß, das habe ich bei vielen einträglichen Reisen gelernt. Ach, es ist aussichtslos!

Schlag doch bei Zappodustro nach! Vielleicht hatte er auch das Problem, dass Dinge abhandengekommen sind, die er verschwinden ließ!

Onkel Donald hat recht! Tragen wir alles Material zusammen, das wir über Zappodustro auftreiben können!

O nein! Alle Schriftstücke, die ich besitze, sind ja mit dem Geldspeicher verschwunden!

Stimmt, das erschwert die Sache.

Aber unser Schlaues Buch kann uns sicher aus der Patsche helfen.

Zeitreisen, Zen und Ziegenkäse... hier irgendwo muss es sein. Ich hab's! Zappodustro!

Also, wenn ich das recht verstehe, ist dein Speicher Opfer des magischen Magnetismus geworden.

Du hast von Zappodustro gelernt, und der war ein Magier der höchsten Stufe! Die Energie des Meisters, den du gewissermaßen wiederbelebt hast, hat den verzauberten Geldspeicher angezogen wie ein Magnet!

Und deshalb denke ich, wir werden ihn dort finden, wo der „zoroastrische Zausel" einst gehaust hat!

Klingt ein-leuchtend.

Wundert dich das, wenn es aus unserem Schlauen Buch stammt?

Der Rest ist einfach... „Suchet, so werdet ihr finden!" Das steht allerdings in einem anderen Buch.

Und wenig später ist man unterwegs zu der kleinen Insel Magiera, die einst bekannt war als die Heimat des großen Zauberers Zappodustro...

Klar zur Landung!

Schön, aber so winzig ist die Insel gar nicht. Vorausgesetzt, dass er überhaupt hier ist, wie willst du den Geldspeicher aufspüren?

Was für eine Frage, Neffe! Du weißt doch, dass ich Bares riechen kann wie andre Leute Bratkartoffeln!

Und wenn ich nicht irre, erhasche ich da einen Hauch...

SCHNÜFFEL!
SCHNÜFFEL!

Ja, das ist unverkennbar der Wohlgeruch münzgewordenen Wertes!

Alles in Ordnung, Onkel Dagobert?

Bis auf die Schmerzen, danke.

Ein Kupfermagus! Dafür bekommt man drei Kreuzer.

Ach je! Eine böse Enttäuschung für den Anfang.

Enttäuschung? Manchmal verstehe ich den Jungen einfach nicht.

Die Suche geht weiter. Doch bald macht ein stürmischer Seewind den Einsatz von Onkel Dagoberts Spürnase unmöglich...

Kopf hoch! Ich hab eine Idee, wie wir den Wind nutzen können! Wir nehmen den Flieger auseinander und bauen aus dem Material...

WUUUSCH! STUUURM! BRAUSSS!

...Surfbretter auf Rädern!

?!

An diesen Antennen merken wir, wenn wir uns einem unsichtbaren Objekt nähern. Und das kann dann nur der Geldspeicher sein!

Die Idee überzeugt und so...

Ein paar Tage werden genügen, um die ganze Insel abzufahren!

WOOOSCH!

WOOOSCH!

29

Warum habe ich das Gefühl, dass irgendwas nicht so ist, wie es sein sollte?

Donnerwetter! Ich bin auf etwas gestoßen!

KRICKS!

BATSCH!

KRACKS!

Fantastisch! Du hast den Geldspeicher gefunden!

Und den Fehler im System. Keine Bremsen!

O du geliebte Heimstatt meiner Talerchen! Lass dich umarmen!

SCHMATZ! SCHMATZ!

30

Als Erstes nehme ich den Zauber von dir! Mir hat es die Magie für alle Zeiten verleidet!

PIFF!

Ah! Endlich sehe ich dich wieder!

Damit sind aber noch nicht alle Probleme aus der Welt, Onkel Dagobert.

Schließlich müssen wir deine Sparbüchse noch nach Hause schaffen!

Wohl wahr!

Einige Wochen später...

Schön, dass wir den gewohnten Ausblick wiederhaben!

Schauen wir mal nach, ob wir auch den gewohnten Onkel wiederhaben, Jungs!

Nanu? Willst du auf die Jagd gehen?

Und wie! Die Schonzeit für Ganoven ist vorbei!

Statt teures Geld zu verschleudern für die fragwürdige Verbesserung meines Sicherheitssystems...

...investiere ich lieber in Schrot! Derzeit im Angebot.

Seit Jahr und Tag verteidige ich mein Hab und Gut mit eigenen Händen und was dieselben so halten. Ich sehe keinen Grund, dies zu ändern!

ENDE

33

34

35

36

Grrr!

Aua! Nicht! Lass los!

Pah!

KLACK! KLACK!

Das war filmreif!

Fast können sie einem leidtun.

Ja, sind schon arge Pechvögel, die Panzerknacker.

Jetzt gehen alle wieder nach Hause. Das ist wirklich unglaublich.

Warum? Mein Sicherheitssystem ist ein technisches Wunderwerk, entwickelt von den besten Ingenieuren der Welt. So eine Attraktion lockt eben die Zuschauer an.

Dann ist es vermutlich nur eine Frage der Zeit, bis du Eintritt verlangst, wie?

?!

Sag das noch mal!

Ups.

40

41

42

43

Gerade weil meine Diebstahlsicherung perfekt ist, werden die Leute sicher umso eifriger werden. Aber das ist ja der Sinn der Sache.

Hahaha! Du bist genial!

Und kurze Zeit später...

Die absolute Sensation! Morgen eröffnet Dagobert Duck seinen neuen Abenteuerpark!

Es handelt sich um einen Park, in dem ein exakter Nachbau von Dagobert Ducks Geldspeicher steht, mit all seinen Diebstahlsicherungen und Abwehranlagen.

Die Besucher müssen versuchen, bis in den Geldspeicher vorzudringen, sich dann einen Sack Taler schnappen und damit flüchten.

Habt ihr das gehört?

Ja, das klingt spannend.

Was ist denn Ihre Meinung dazu, Professor Allwiss? Wird das die Besucher nicht unweigerlich auf den Weg des Verbrechens führen?

Aber nein! Im Grunde ist das doch nur eine erfrischend moderne Form des beliebten Spiels „Räuber und Gendarm"!

45

47

48

49

Die werden auch jeden Tag unverschämter! **Hmpf!**

Na ja, aber so ganz unrecht haben sie nicht!

Es stimmt doch, dass du ohne die Panzerknacker nie auf die Idee gekommen wärst, oder?

Jetzt will ich dir mal was sagen!

Ich habe Abermillionen von Talern ausgegeben, um mein Hab und Gut vor solchen Strolchen zu beschützen. Dieser Abenteuerpark ist auf jahrelange Erfahrung...

...zurückzuführen. Jahre, in denen ich mit Experten aus aller Welt an dem perfekten Diebstahlsicherungssystem getüftelt habe.

Aber...

Ende der Diskussion! Wir haben jetzt Wichtigeres zu tun!

Wir müssen schnellstens Platz in meinem Geldspeicher schaffen, damit ich die ganzen Einnahmen unterbringe.

52

?!

RAROMPEL!

Was war das?

Keine Ahnung! Vielleicht ein Erdbeben?

KLIMPER!

PRASSEL!

Was sagst du da? Ein furchtbarer Gedanke, wenn meine Talerchen vom Erdboden verschluckt werden würden! Das muss ich genau wissen.

WUTSCH!

Hallo? Ist dort das Seismologische Institut? Haben Sie in den letzten Minuten irgendwelche Erdbewegungen registriert?

Nein, haben wir nicht! Und es sind in nächster Zeit auch keine Erdbeben zu erwarten.

Nein? Da-danke Ihnen.

Aber was war es dann? Du hast es doch auch gespürt, Donald, oder? Wir müssen unbedingt herausfinden, was dieses Beben verursacht hat.

Buhuuu! Welch eine Tragödie!

Hier, für Ihre Bemühungen.

Danke, junger Mann!

Ein bisschen leichter ist dein Speicher schon. Ein Geldsack ist weg.

Quäl mich nicht auch noch!

Was mach ich nur? Ich kann doch nicht riskieren, dass hier alles zusammenbricht.

Schnaub! Knurr! Daran sind nur diese vermaledeiten Panzerknacker schuld! Sie haben ständig neue Tunnel gegraben, um an mein Geld zu kommen!

Und dann besitzen sie auch noch die Frechheit, Geld für ihre penetranten Einbruchsversuche zu verlangen. Als ob dieser Abenteuerpark... aber ja, das ist es!

Ich werde meine kleinen Lieblinge in den anderen Geldspeicher bringen.

Das ist nicht dein Ernst!

Schnorch!

Hast du schon vergessen, dass er lediglich aus Styropor besteht?

Es handelt sich doch nur um ein paar Tage. Das wird schon klappen!

Und was ist mit den Besuchern?

Die kriegen davon gar nichts mit! Ich werde in der Presse bekannt geben, dass noch einige dringende Wartungsarbeiten durchgeführt werden müssen und der Park...

...deshalb für einige Tage geschlossen bleibt. Hm... wir sollten leise sprechen, nicht dass uns noch einer belauscht.

Es könnte tatsächlich funktionieren.

Und wie das funktioniert. Das Wichtigste ist jedenfalls, dass alles sehr schnell geht.

„Das ist der Hammer!"

Was denn?

Es hat zwar eine Weile gedauert, aber jetzt ist der Groschen gefallen. Achtung, ich komme jetzt runter!

Schnell, ladet das Geld ab!

Puh! Ein harter Job!

Tut mir ja leid, aber ihr seid die Einzigen, denen ich vertrauen kann!

Ein Glück, dass die Entenhausener schon so viele Schokoladentaler gegessen haben und daher genügend Platz im Geldspeicher war.

So, jetzt schnell zu mit der Panzertür aus Plexiglas...

KLACK!

...und dann gehen wir nach Hause, als ob nichts gewesen wäre. Jeder soll denken, dass es hier nur Schokoladentaler zu holen gibt.

Jetzt sind wir dran, Jungs!

61

63

Ist denn das die Möglichkeit? Dieses Untier hat meinen Zylinder gestohlen!

Was beklagst du dich? Wer wollte denn unbedingt hinaus in die freie, unberührte Natur mit all ihren Risiken?

Diesen sarkastischen Unterton verbitte ich mir!

Ups! Bloß weg!

Na warte, dem Geier werd ich's zeigen! Eine gewisse Grundausrüstung zum Überleben führe ich ja mit mir!

Und im Zielen übertrifft mich so leicht keiner!

PENG!

FLATTER!

So! Jetzt hat er's mit der Angst gekriegt! Der Zylinder ist wieder mein!

Lieber ein paar Schrotkugeln investiert, als meinen guten alten Vorkriegszylinder geopfert!

Aha! Sie sind also der Meister-schütze! Stimmt's?

Ja... wieso?

Macht zwanzig Taler Strafe wegen unerlaubten Waffengebrauchs! Und dass das ja nicht noch mal vorkommt, klar?

Schluck! Hier, nehmen Sie!

Der Erste, der es wagt, hierüber einen geist-reichen Kommentar abzugeben, gräbt mir mit bloßen Händen so tief, bis er auf Öl stößt! So wahr ich Dagobert Duck heiße!

Diese Runde ging an den Feldhüter! In Ordnung! Aber wer zuletzt lacht, lacht am besten!

Später...

Es ist kaum noch was zu essen da!

Tage später...

Hat der weiße Mann schon drüben am Zauberberg sein Glück versucht, sag?

Wie?

Der Indianer hat von einem Zauberberg gesprochen! Da muss was verborgen sein! Los, Beeilung, nichts wie hin!

Na, na!

Moment! Weiß der weiße Mann denn, wo der sprechende Zauberberg liegt?

Heißt das, der Berg kann reden?

Der Zauberberg stößt von Zeit zu Zeit entsetzliche Seufzer und Klagen aus!

Was?

Späher kann den weißen Mann bis zum Tal bringen, dann kehrt Späher lieber um!

Oje! Der Wind! Jetzt fängt der Berg gleich zu sprechen an!

BRAUSSSS!

?!

STÜRM!

Lebt wohl! Späher flieht lieber!

Kommt, wir fliehen am besten mit!

Spiel jetzt nicht verrückt! Du wirst doch nicht auf den Aberglauben der Eingeborenen reinfallen!

Wenn noch nie im Leben einer seinen Fuß in dieses Tal gesetzt hat, dann werden wir es eben als Erste wagen! Dafür werden wir auch die Ersten sein, die hier absahnen!

Aber...

AUUUUUUUU!

Oh! Schreck lass nach! Das klingt ja grässlich!

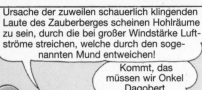

Ursache der zuweilen schauerlich klingenden Laute des Zauberberges scheinen Hohlräume zu sein, durch die bei großer Windstärke Luftströme streichen, welche durch den sogenannten Mund entweichen!

Kommt, das müssen wir Onkel Dagobert sagen!

Murmel! Murmel! Also kein Zauber, sondern ein einfaches Naturphänomen!

Und durch so etwas hätte ich mich beinahe ins Bockshorn jagen lassen! Na, so was!

Auf, Kinderchen! Wir haben schon viel zu viel Zeit verloren!

Du darfst als Erster rein, Donald! Die Nachwelt und speziell ich werden's dir danken! Los, stürm vorwärts!

Wer... ich?

Dass du dich da bloß nicht irrst!
Du kannst dich ja mit Ruhm be-
kleckern, wenn du
unbedingt willst!

Nun mal
langsam, lieber
Neffe!

Ich bin schließlich kein Egoist, wie
du weißt! Lass uns den Ruhm fairer-
weise zwischen uns teilen! Komm,
wir zwei betreten den Berg
gemeinsam, dann ist
keiner benachteiligt!

Schluck! Grundgütiger!
Das ist ja ein richtiges
Gesicht!

AÖÖÖÖÖH!

75

Du kannst von Glück sagen, dass ich jetzt keine Zeit habe!

Hm! Noch wittere ich kein Mineral!

Dafür wittere ich Unheil!

SCHNUPPER! SCHNUPPER!

Was sind das denn für merkwürdige Gebilde?

Das? Das müssen die Stimmbänder des Zauberbergs sein!

Ja, genau! Wenn durch diese riesigen Felssäulen der Wind streicht, entstehen die schaurigen Töne, vor denen sich die Indianer – und gewisse andere Zeitgenossen – so fürchten!

Ich fürcht mich nicht! Auf geht's!

Schluck! Schon wieder der Wind!

STURM!

Aufgepasst! Wir treiben mit dem Wind durch den Schlund des Berges! Wir werden nach draußen gewirbelt!

Hilfe! Ich will runter!

Uiii!

BRAUSSSS!

Nach deiner Zukunft kannst du in Zukunft alleine streben, Onkelchen! Für mich hat sich's ausgezukunftet! So wahr ich Donald heiße!

Na schön! Schwamm drüber, will sagen, kein Wort mehr über den sprechenden Berg in Zukunft!

Ein paar Tage später…

Schluck! Die Panzerknackerbande!

Wollt ihr wohl sofort von meinem Anwesen verschwinden!

Immer mit der Ruhe, Bertel!

Wir tun nur fotografieren!

Und du wirst ja nicht behaupten wollen, dass das verboten ist, oder?

Ganz legal, die Sache!

Schluck! Das ist natürlich wahr, aber ich bin überzeugt, dass die Gauner damit was gegen mich im Schilde führen! Mit Sicherheit!

Ich denke nicht daran, mit offenen Augen zuzusehen, wie die Gauner einen Coup gegen mich ausbaldowern! Ich muss was unternehmen!

Ich armer, geplagter Mann! Tag und Nacht muss man auf der Hut sein, dass einem die Ganoven nicht das sauer verdiente Geld aus den Taschen ziehen!

Das Schlimmste ist, dass die Panzerknacker für meine Schwachstellen einen ausgesprochenen Riecher haben!

Moment! Apropos Riecher! Da kommt mir eine Idee!

HÜPF!

Hallo, Herr Düsentrieb! Könnten Sie mir ein Fahrzeug, ich meine, eine Beförderungsmöglichkeit konstruieren… bla, bla… bla, bla, bla…

Tja, wenn Sie mir wenigstens eine Woche Zeit lassen… Na schön, ich tu mein Bestes!

Hm… zur Lastenbeförderung käme am ehesten die Ballonlösung infrage!

Schwierig wird es nur, wenn es darum geht, außerordentlich umfangreiche Lasten zu befördern!

Eine Woche später…

Na, wie gefällt Ihnen das Gefährt? Ich habe eigens ein Spezialgas erfinden müssen, damit der Ballon diese enormen Lasten überhaupt tragen kann!

Sehr gut! Gratuliere, Herr Düsentrieb!

Nur eins noch! Da die Aktion bei Nacht steigen soll, wäre es mir lieb, wenn Ihre Konstruktion noch eine Art Tarnanstrich bekäme!

Kein Problem! Ich werde den Ballon zum Sternenhimmel machen, dass nicht einmal mehr die Katzen sich auskennen!

Sehr schön!

Bereits am nächsten Abend startet das Unternehmen „Geheimtransport"…

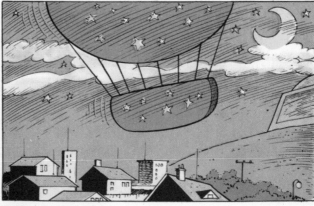

PRASSEL!

Kolossaler Durchsatz, muss ich sagen! Das geht ja wie geschmiert!

Tatsächlich…

PLING! PLING!

So! Das war's gewesen!

Damit, ihr lieben Panzerknacker-chen, habt ihr wohl nicht gerechnet! Hehe!

Da ist ja schon der sprechende Zauberberg!

Es wird bald hell! Besser, ich beeile mich ein wenig!

Bereits alles umgefüllt! Fabelhaft!

Jetzt brauch ich nur noch das Gas aus dem Ballon rauszulassen und die Utensilien zu beseitigen! Wetten, dass die Panzerknacker ihr Leben lang suchen werden, bevor sie diese goldene Nase entdecken!?

Ein paar Tage später...

Ich hab's, Brüder! Das ist genau die Schwachstelle, durch die wir reinkommen!

Meinst du? Dann aber nichts wie ran an den Speck!

♪ Duck, dir wird das Geld gestohlen, gib nur alles her... ♪

PK SPEZIAL-TRANSPORTE

84

Eine Woche später...

Wir sind am Ende! Nicht mal mehr was zu essen haben wir! Hoffentlich hat Opa Knack noch was, sonst müssen wir glatt betteln gehn!

OPA KNACK

Ich weiß schon alles! Ihr braucht gar nichts zu sagen!

Ihr könnt von Glück sagen, dass ich ein klein bisschen gewitzter bin als ihr Schlafmützen!

Ich hab nämlich den alten Duck seit Wochen nicht aus den Augen gelassen und gemerkt, dass er zurzeit selbst ein Ding dreht! Jawoll!

Erstens fährt er jeden Tag ins Gebirge!

Vielleicht wegen der Luft?

Ach, Unsinn! Der Alte ist doch zäh wie Leder! Ausgeschlossen! Wenn der wo hinfährt, dann nur aus geschäftlichen Gründen!

86

Und so...

Da, schaut! Das Auto verschwindet dahinten in der Schlucht! Der Weg führt direkt ins Zauberbergtal! Das weiß ich!

Ist dort auch der Zauberberg, der angeblich so grässliche Schreie ausstößt?

Wahrscheinlich! Da! Der Alte parkt direkt vor dem komischen Felsenkopf! Will der da rein?

Sobald er verschwunden ist, schauen wir selbst mal nach, ja?

I-i-ich hab aber Angst!

Kaum ist Dagobert Duck abgefahren...

Schau mal einer an, wo sich der Alte so rumtreibt in seiner Freizeit!

87

Raus mit dem Pfeffer, Kumpel! Wir sind genau über der Felsenfratze!

He! Welche Teufelei habt ihr euch jetzt wieder ausgedacht?

Diese Gauner schütten Pfeffer runter! Wie kommen die dazu?

HATSCHI!

HATSCHI!

Pfeffer ist doch teuer! Diese elenden Verschwender!

Die ganze Gegend ist mit dem Zeug bedeckt! Möchte wissen, wozu?!

Ah, jetzt verstehe ich!

Sie wollen den Zauberberg zum Niesen bringen!

HAAAAA...

HAAA...

HAAA...

...TSCHIII!

Ogottogott! Sie haben's geschafft! Ich bin ruiniert!

Hilfe!

Sag mir, dass es ein Albtraum ist! Sag mir, dass ich träume!

Tut mir leid, Onkelchen! Alles, was ich weiß, ist, dass ich in Gold schwimme!

Es ist kein Traum! **Schluchz!** Es ist tragische Realität! Hilf mir zu retten, was zu retten ist!

Weg da, das ist mein Einzugsgebiet!

Dich zeig ich an, du Gauner!

Geht nicht! Dies hier ist praktisch Niemandsland! Wer hier was findet, dem gehört's auch!

Dann lass mich schnell weiterfinden!

Huch! Der Zylinder hat dem Gewicht nicht standgehalten!

Herzlichen Dank auch, dass du uns den ganzen Zaster extra hierhergeschippert hast!

Nein!

Komm, komm! Du kannst doch jetzt nicht in Ohnmacht fallen!

Indessen...

Nanu? Was tun denn die vielen Leute hier in unserem neu eröffneten Nationalpark?

Wie?

Schluck! Ein Waldhüter! Hat der sich verirrt?

Ähem... Wie Sie sehen, sammeln wir nur die Früchte des Waldes ein! Das ist ja in diesem Landstrich ausdrücklich erlaubt, oder?

Das **war** es... bis gestern! Aber seit heute ist dieses Gebiet ein offizieller Nationalpark! Hier darf nicht das Geringste angerührt werden!

Und so...

Hallo, Onkel Dagobert! Wie geht's?

Danke, ich kann nicht klagen!

Stellt euch vor, als ich nachweisen konnte, dass es sich bei dem Geld um **meine** Talerchen handelte, hat man sie mir kostenlos nach Entenhausen zurückverfrachtet!

ENDE

92

Zwei im selben Boot

Ein Sonntagnachmittag am Strand von Entenhausen...

Na, Kinder? Macht's Spaß, euch am Strand auszutoben?

Ja, Onkel Dagobert! So ein Tag am Meer ist immer eine tolle Sache!

Habt ihr Lust, von hier aus bis zum Wasser einen Kanal zu bauen?

Gute Idee!

Wir haben ja Onkel Donalds Sandschäufelchen dabei!

Gut, dass er die bei der Tombola beim Stadtfest gewonnen hat!

Noch besser wär der erste Preis gewesen: eine Kreuzfahrt für vier Personen!

Schnaub!

Warum bist du denn auf einmal so mies drauf?

Seufz! Ich denke gerade an die Panzerknacker und ihre ständigen Angriffe auf den Geldspeicher!

Tag für Tag tauchen sie auf! Das muss ihnen schon irgendwo zur Gewohnheit geworden sein!

Oh!

WUSCH!

WUSCH!

Und weg sind sie!

Was hast du gesehen, Tick?

Zwei wieselflinke Mollusken!

Das sind Weichtiere, die sich bei einer drohenden Gefahr blitzschnell im Sand einbuddeln!

Und dann ist es unmöglich, sie wieder herauszuziehen!

Hmm! Man könnte...

Seit wann interessiert dich das Verteidigungssystem von Mollusken?

Ja, natürlich! Das könnte funktionieren!

Es muss gehen!

Was machst du denn da?

Hör gefälligst auf, mit Sand um dich zu werfen!

BUDDEL!

Der Geldspeicher ist Angriffen viel zu leicht ausgesetzt! Aber es müsste möglich sein...

...ihn unter der Erde verschwinden zu lassen, sobald eine Gefahr im Anzug ist!

Und woher soll er das wissen, dass eine Gefahr droht?

Da wird sich ein Weg finden! Zurück in die Stadt!

He!

Huch!

97

98

Spät am Abend...

Zum Angriff, **Brüder!**

Ich **fühle,** dass wir es heute Nacht schaffen werden!

RIIING!

RRROOOOOOMMMPEL!

Das gibt's nicht! Wir hatten ihn doch noch nicht mal berührt, und trotzdem...

...ist er genau vor unserer Nase verschwunden! **Seufz!**

Fallen, die wie Thermometer aussehen! Dem Alten fallen immer neue Schikanen ein!

Wie? Thermometer?

Wir nehmen ihn mit! Ich möchte ihn untersuchen!

Und so...

Damit hat sich der alte Knauser wieder mal selbst übertroffen!

Nun spann uns doch nicht so auf die Folter, Opa!

Dieser Sensor misst schon aus hundert Metern die aggressiven Ausstrahlungen eines beutehungrigen Angreifers!

Daraufhin schlägt dieses technische Wunderwerk Alarm, und der Geldspeicher verschwindet in Sekundenschnelle unter der Erde!

Das gilt nicht!

Gemeinheit!

Aber nein...

Wir werden da zuschlagen, wo er es am wenigsten erwartet!

101

...dann nageln wir den Geldspeicher hier unten in dem schnelltrocknenden Zement fest, den wir gleich darauf durch den Tunnel in den Schacht leiten...

...und können ihn in aller Ruhe ausräumen!

U-BAHN-TUNNEL

Aber... wie schaffen wir das Geld dann von hier weg?

Hat Opa uns doch tausendmal erklärt!

ARBEITS-PLAN

Wir schlagen heute Nacht zu! Und übers Wochenende arbeitet niemand am U-Bahn-Tunnel...

8 FREITAG

Verstehe! Genial!

In der Nacht...

Das ist die **Stunde x**! Gleich heult der Alarm los!

Stöhn! Geht's nicht etwas schneller mit diesem Ding?

Noch schneller? Spürst du denn nicht, wie schon alles **vibriert**?

Wird höchste Zeit, dass ihr kommt! Der Film fängt gleich an!

Hehe! Jetzt wird's lustig!

SCHRILL!

102

RRRQOOOOOMMMPEL!

Herrje! Was war das?

Was weiß denn ich? Wird wohl gedonnert haben!

Los, wir müssen uns beeilen!

Noch nie waren wir dem Geldspeicher so nah wie heute Nacht!

Stimmt! Das ist fast **zu** einfach! Hehe!

Da, Licht! Es kann losgehen, Brüder!

104

Ich bin Bergsteiger! Vielleicht kann ich runterklettern!

Huch!

WUSCH!

Die Wände sind zu glatt! Und wir haben kein Seil, das lang genug wäre!

Versuchen wir's durch den neuen Tunnel für die U-Bahn!

Ich komme gerade von dort! Durch den Einsturz wurde fast der ganze Eingang verschüttet!

Was jetzt?

Wir müssen parallel dazu einen zweiten Tunnel graben! Das ist an sich kein größeres Problem, aber bis er fertig ist...

...könnte es zu spät sein!

Seufz! Genau!

106

He, da sind die Ducks! Allerdings mehr tot als lebendig!

Komisch! Er kommt nicht zu sich!

Logisch nicht! Das ist ein falscher Taler!

Arrrgh! Was macht ihr hier, ihr Banditen?

Nun mal ganz ruhig! Wir sind gekommen, um euch zu retten!

Soll ich euch dafür etwa dankbar sein, nachdem ihr meinen Geldspeicher versenkt habt?

Willst du streiten oder dein Gold retten?

Lasst uns keine Zeit verlieren! Wir müssen so schnell wie möglich hier raus!

Stimmt! Bevor hier noch alles einstürzt!

TOCK!

Lieber bind ich mich selbst an den Fahnenmast, eh ich mein Gold im Stich lasse!

Recht so! Kein Kapitän verlässt sein sinkendes Schiff!

Nun kommt schon! Wir müssen verschwinden!

POLTER!

Geht ihr meinetwegen! Ich bleibe!

Ich auch!

Ich habe mein Leben lang mein Geld verteidigt, da lass ich es in der Stunde der Not nicht allein!

Und ich habe ihm ein Leben lang nachgestellt und denke nicht dran, darauf zu verzichten!

Geht und holt Hilfe! Aber beeilt euch!

Wir werden unser Möglichstes tun!

Bilde dir bloß nicht ein, dass ich deine Hilfe brauche!

Dummkopf! Ich tu das nicht für dich, mir geht's nur ums Geld!

Dann haben wir die gleichen Interessen und sollten zusammenarbeiten!

Richtig! Wir sitzen beide im selben Boot!

110

111

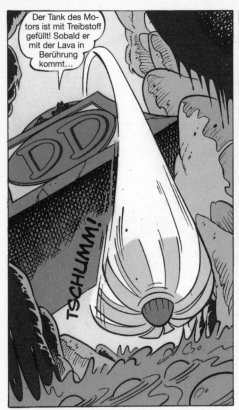

112

113

114

Werden Sie die Alarm-anlagen an Ihrem Geld-speicher abschalten?

Grummel! Wir wollen's mal nicht gleich über-treiben!

Nein, ich werde euch als hauptberufliche Wachen für meine Schätze einstellen! Mit Monatsgehalt und allen Zulagen laut Tarifvertrag!

Hurra!

Bravo, Herr Duck! Das ist ein Wort!

He, Opa! Lass das! Du bist nicht Dagobert Duck!

RING!

RING!

Denkt doch nur, Tag und Nacht auf Tuch-fühlung mit seinem Gold! Und das gegen Bezah-lung!

Wird ein Kinderspiel, was davon mitgehen zu lassen!

Der neue Geldspeicher

Walt Disney

Mitten in Entenhausen…

Fertig!

Gut. Lassen Sie die Abdeckung entfernen!

30.

Der alte Duck musste sich lange gedulden. Noch platzt er fast vor Neugier.

Aber gleich platzt er vor Wut!

119

...Geldspeicher bleibt, wo er ist! Schließlich ist er ein hochmodernes Bauwerk.

Daneben wirkt Ihrer wie ein prähistorisches Relikt!

Ach, meine Gäste! Entschuldigen Sie mich!

Ich habe zur Einweihung die Presse und ein paar Honoratioren eingeladen.

Sie dürfen gerne auch hinein!

Angeber!

121

Ihr Geld-speicher ist ein Witz!

Was ist dann Ihr alter Kasten?

Zweckmäßig! Geld und Gold sind auch ohne diesen Tand ein schöner Anblick!

Sie sind ja nur neidisch auf Herrn Klever! Sein Kunstwerk ist eine Bereicherung.

Wir sind stolz darauf. Ihr Geldspeicher ist dagegen eine Schande!

Wie?

Hehe!

Ganz meine Meinung!

Potthässlich, das Ding!

Tags darauf…

Oje, es riecht nach Stunk!

Die werden sich kräftig in die Wolle kriegen.

Sollen sie doch! Uns geht das nichts an.

HUUAAAAAARGL!

Huch!

Da ist er schon, der Schrei in höchster Not.

BL...!!! ...AH!!!

Den kenn ich nur zu gut!

Wir sollten zu ihm! Er braucht bestimmt unsre Hilfe.

Und...

Der Arme!

Wie wahr!

Selbst der geeiste Goldbeutel hilft nicht.

Furcht-bar! Was hat er denn?

Wer weiß? Es begann nach der Zeitungslektüre.

Die heutige Ausgabe! Das ist schon ein schlechtes Zeichen.

Oje! Alles klar!

KURIER

EIN GEWINN FÜR ENTENHAUSEN!

DER GENIALE ERFINDER

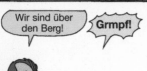

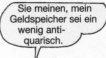

Genau wie meine Geschäftspraktiken. **Hmpf!**

Das verdanke ich diesem Klotz! Er ist mir ein rechter Dorn im Auge.

Aber nicht mehr lange! Klever wird sein blaues Wunder erleben!

Willst du etwa...

Gliep!

Den Gegenangriff! Jawoll!

Und die besten Architekten, Raumausstatter, das beste Baumaterial... Hallo?

Kurz darauf ist das Werk vollbracht…

Ach, du dickes Ei! Was für ein Monstrum!

Hoffentlich ist's drinnen schöner!

Das werden wir gleich sehen…

Was für ein Andrang!

Die Presse ist auch da.

131

Das Spiel der Wellen wird durch eine vibrierende Platte auf dem Grund erzeugt. Die Gestade säumen Wasserfälle aus Edelsteinen.

Lassen Sie uns die Segel hissen und in See stechen!

Für die notwendige Brise sorgen kräftige Ventilatoren.

Poh! Genial!

Und am folgenden Tag kann man lesen...

Er hat es wieder geschafft, der alte Fuchs! Die Presse überschlägt sich!

KURIER

DAGOBERT DUCK BEWEIST WAHRE GRÖSSE!

So eine Gemeinheit! Wer hier der Größte ist, wird sich noch rausstellen!

Und getreu dem Motto: Nur keinen Wettstreit vermeiden...

Mein Goldspeicher **Tropica** ist doch eine Wucht!

KK

135

Die Panzerknacker verlieren keine Zeit. Noch in derselben Nacht...

136

Die Panzerknacker haben ihm böse zugesetzt. Es ist nur eine Frage der Zeit, bis er klein beigibt.

Und damit's schneller geht, werde ich ein wenig nachhelfen.

Am nächsten Tag…

Oh! Sie haben hohen Besuch?

Allerdings! Die Herren sind von weither gereist, um meinen Geldturm zu bewundern!

Ach?

Dürfte ich auch mal rein?

Klar! Aber fallen Sie nicht in Ohnmacht vor Neid!

141

143

Weder im Bassin noch mit diesem Geldturm...

...wird Ihnen das je gelingen!

Uns halten Sie nicht zum Narren!

Adieu!

Oh!

Das war Ihnen hoffentlich eine Lehre! Ein Geldspeicher macht noch...

...lange keinen Dagobert Duck! Reißen Sie das Ding ab!

So kommt es, dass einige Wochen später...

Klaas Klever hat aufgegeben.

Endlich ist die Aussicht wieder ganz die alte.

146

Seit diesem Triumph ist er in bester Laune.

Immer nur lächeln...

Heute lässt er vielleicht sogar was springen! Kommt!

Au fein!

Man schreitet sofort zur Tat...

Anton, wo finden wir unseren Onkel?

Im türkischen Bassin!

...und immer vergnügt...

Bitte **wo?**

Hier!

Huch! Da brennt's!

Nein! Das ist heißer Dampf!

Walt Disney

Die Steueroase

Im Milliardärsklub von Entenhausen herrscht ungewöhnliche Stille...

KLUB DER MILLIARDÄRE

Die Golf-, Polo- und Tennisplätze liegen da wie ausgestorben...

P.M.172 2

...ebenso die Bridge- und Billardtische...

Sind alle Mitglieder verreist?

Nein, das nicht, aber...

Sieh dir das mal an! Es ist jedes Jahr dasselbe!

Gab es etwa einen Börsenkrach?

Viel schlimmer! Gestern war Stichtag für die Steuern!

Verstehe! Das ist kein Grund zum Feiern...

...schon gar nicht für Leute wie die da!

Es ist so schlimm, dass nicht mal Klaas Klever und Dagobert Duck sich streiten!

Gleich geht's rund! Da kommt McTripp, ein Exklubmitglied!

Aber, aber! Was sind denn das für Trauermienen?

Der fehlte gerade noch! Grrr!

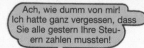

Ach, wie dumm von mir! Ich hatte ganz vergessen, dass Sie alle gestern Ihre Steuern zahlen mussten!

Im Grunde muss doch jeder Steuern zahlen... oder fast jeder!

Genau! Und im letzten Jahr ging es Ihnen genauso wie uns heute!

Tja, das stimmt!

Trotzdem... er hat recht! Warum wechseln wir nicht nach Manico? Dann ginge es uns auch besser!

Vielleicht, weil man da einem Auswahltest unterzogen wird?

Das weiß ich auch! Und ich weiß auch, dass die da ganz sicher keine Quadratknauser haben wollen!

Verblühte Verschwender auch nicht!

Aber bitte! Nicht wenn die anderen Herren trauern!

Wiedersehen! Ich habe für heute genug getrauert!

Murmel... murmel... natürlich wäre es von Vorteil, Bürger von Manico zu sein!

Geld genug habe ich und die Tests werden schon nicht so schwer sein!

Aber ich liebe Entenhausen... die vielen netten Leute hier...

...die herrliche Architektur...

...die Verwandten...

Nichts da! Mich kriegt so leicht keiner aus Entenhausen weg!

154

Doch bei der nächsten Steuerprüfung...

Ich wandere aus!

Aber nicht, bevor Sie die R.A.F.F.-Steuer* gezahlt haben!

*Riesige Abgaben fürs Finanzamt.

Raffen Sie lieber Ihren Krempel zusammen! Sonst werde ich ungemütlich! **Grrrr!**

Ich gehe erst, wenn ich fertig bin!

Reizen Sie mich nicht!

Äh... kommen Sie lieber!

Aber ich...

Und so... Ein Frack! Manschetten! Muss diese Maskerade denn unbedingt sein?

Sicher! Du willst doch den Eignungstest bestehen!

Die Menschen in Manico legen großen Wert auf Äußerlichkeiten!

Außerdem musst du die Besonderheiten des Fürstentums kennen!

Fangen wir an! Wer war der erste Herrscher von Manico?

Murmel... das war Primus der Erste, der...

So doch nicht!

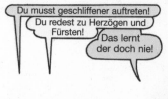

Du musst geschliffener auftreten! Du redest zu Herzögen und Fürsten!

Das lernt der doch nie!

Doch nach einer anstrengenden Woche...

Heute ist dein großer Tag! Wie fühlst du dich?

Wie man sich eben fühlt, wenn man bald zu den Auserwählten gehört!

Jetzt zeig, was du kannst!

Vorwärts! Wir warten hier auf dich!

Schafft er's?

Und ob! Der weiß alles! Er kennt sogar die Schuhgröße des Fürsten!

Jedoch...

Ich möchte bemerken, dass ich diese Aufgabe nur ungern erledige!

Sehr aufmunternd!

FÜRSTLICHER SCHLEUDER-SITZ

159

Daraus folgt?

Dass ich als Nachfahre eines Nationalhelden Einwohner von Manico werden kann! Ohne Tests!

Pack die Koffer, Baptist! Das Steuerparadies Manico wartet auf uns!

Bald darauf...

Da fliegt es hin, das ganze, schöne Geld!

Und mit ihm Onkel Dagobert!

Wartet's ab! Ich glaube, der kommt bald zurück!

Aber mir fehlt der Geldspeicher! Er war immer so... beruhigend!

Der ist doch noch da! Nur das Geld ist weg!

161

Na los doch! Steigt ein!

„Mit diesem tollen Gerät können wir uns unter der Erde fortbewegen…"

„…und uns dem Geldspeicher nähern, ohne dass uns einer bemerkt!"

„Ihr werdet schon sehen, der ganze Zaster liegt immer noch da!"

Jedoch...

Sehr witzig! Hahaha!

Auf so was fallen wir nicht rein? Haha!

Das gibt's nicht!

Er hat's getan! Er hat's wirklich getan!

Der alte Geldsack hat uns verlassen! **Buhuuu!**

Hör bitte auf zu flennen, Opa!

Mit mir kann er das nicht machen! Wir folgen ihm, wo immer er auch steckt!

Bloß nicht!

Muss das sein?

Ich werde sofort einen Aufnahmeantrag für uns bei der Filiale der Internationalen Panzerknacker in Manico stellen!

Inzwischen in Manico...

Es ist mir eine Freude, Ihnen mitteilen zu dürfen, dass dieser Abend ganz entzückend war!

Wie zuvorkommend Sie doch sind, Herr von Duck!

Dann darf ich Sie jetzt bitten, einen Griff ins Portemonnaie zu tun?

Was... was soll das denn heißen?

Aber, aber! Sie wissen doch, dass dies ein Wohltätigkeitsball ist?!

Huch!

Also los! Mit wie viel können wir rechnen?

Äh... mit so viel!

DING! DING!

HAHAHA! HAHA! HAHA!

Und nicht der letzte! In diesem Monat gibt es noch sechzehn Wohltätigkeitsbälle!

Gargel!

Sechzehn?! Da werde ich lieber krank! Oder ich verreise zum Nord- pol!

Das nützt gar nichts! Wer nicht teilnimmt, spendet das Doppelte! So ist es in Manico nun mal üblich!

BUMS!

Herr Duck ist außer sich!

TOCK!

Und so...

Heute Abend gehen unsere Spenden an die Liga gegen mittelafrikanische Stechmücken!

Einige Zeit darauf...

Alles hat sich gegen mich verschworen! Seufz!

Herr Duck ist traurig und geht in sich!

TOCK!

Meine Steuerprobleme habe ich durch den Umzug zwar gelöst...

...dafür geht mein schönes Geld jetzt für Feste und Ähnliches drauf!

Darf ich Ihnen beim Wehklagen helfen, Herr Duck?

Auch der Diener ist traurig und geht Herrn Duck zur Hand!

TOCK!

Und der Kerl geht mir auf die Nerven! Grrr! Müssen wir den behalten?

So will es die Etikette! Übrigens verdient er weit mehr als ich!

170

Was wollen Sie eigentlich? Sie haben das gesamte Personal hier unter sich!

Das ist eben das Problem, Herr Duck!

Nach der hiesigen Etikette unterstehen mir als dem Ersten Diener zwei Stellvertreter, sechs Diener, ein Vermelder, acht Ober, vier Köche, drei Tellerwäscher, sieben Chauffeure und so weiter und so fort!

„Ihre Hausangestellten sind in den besten Schulen ausgebildet..."

„...und so machen sie sich ständig über mich und meine schlichten Methoden lustig!"

„Stellen Sie sich das mal vor!"

171

Ich stelle mir nur vor, was die alle kosten!

Ganz zu schweigen von der aufdringlichen Herzogin!

Ich weiß einfach nicht, wie ich sie abschütteln soll! Dagegen war Gitta die reinste Erholung!

Mir fehlen am meisten Ihre Neffen!

Wem sagen Sie das? Seufz! Die vermisse ich auch!

Und was noch?

Auf die Panzerknacker kann ich jedenfalls verzichten! Die bin ich fürs Erste los!

172

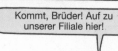

173

Wenig später...

Mannomann! So was von Protz! Das ist was anderes als unsere Hütte!

Die Herren aus Entenhausen sind da!

Huch!

ZOCK!

Wir haben euch schon vor zwei Tagen erwartet! Mit welchem Flug seid ihr gekommen?

Wir haben das Schiff genommen! Das ist, äh... geruhsamer!

Hm... es riecht aber auch strenger!

Sicher wollt ihr euch etwas frisch machen? Eure Suite liegt im ersten Stock! Ich erwarte euch dann zum Abend-essen!

Bald darauf...

Ihr seid also hier, um Herrn von Duck zu berauben?

Stimmt! Er wollte uns entwischen, aber so läuft das nicht!

Und darf man erfahren, wie ihr den Raub geplant habt?

Wie üblich! Alles, was wir noch brauchen, ist ein Pressluftbohrer...

...drei Hacken...

...ein paar Kreuzer und...

Hahaha! Drei Hacken? Ist das komisch!

Hohoho! Und erst der Pressluftbohrer!

Haha! Wirklich, sehr amüsant!

175

Am selbigen Abend...

Eine Schande!

Wir sehen aus wie bekloppte Pinguine!

Psst! Hier äußert man seinen Unmut in gebührender Zurückhaltung!

Da ist der Geldspeicher! Vorwärts!

Der ist ja völlig unbewacht!

Wir haben uns hier versammelt, um den von unseren Brüdern ausgearbeiteten Plan in die Tat umzusetzen! Sind die Herren bereit?

Herren? Ich dachte, wir sind allein?

Ich bin nicht übel gewillt, dir eins auf den Kopf zu geben, wenn du nicht sofort mit diesen Scherzen aufhörst!

Ihr könnt euch jetzt verkleiden!

Verkleiden? Noch mal?

Wenig später…

Halt! Straßensperre!

Wenn das ein Scherz sein soll, finde ich das gar nicht komisch! Ich bin mit Herrn von Duck verabredet!

Keine Sorge! Wir übernehmen das!

ZISCH!

Und so…

Melden Sie dem alten Knaben, dass der Herzog und sein Gefolge eingetroffen sind!

179

Am Tag darauf...

Sieht aus, als sei uns der alte Duck auch nach der hiesigen Methode über!

Also noch einmal auf die alte Masche!

Einverstanden!

Zurück zu Pressluftbohrer und Hacken!

Einige Zeit darauf...

Schön, dass du wieder da bist, Onkel Dagobert!

Ganz meinerseits! Diese ewigen Feste und Bälle in Manico sind stinklangweilig! Stimmt's, Baptist?

Stimmt, Herr Duck!

Onkel Donald freut sich gar nicht, dass du zurück bist!

Wie sollte ich denn?

KAMPF um den GELDSPEICHER

Wer glaubt, dass das Leben eines Fantastilliardärs nur Sonnenseiten hat…

J-2398-2

...der weiß nicht, was so ein armer Reicher Tag für Tag alles erdulden muss!

WUIIIIUIIIIUIIIIUIII!

Chr... haa!

Oje! Es ist mal wieder so weit!

Die Panzerknacker starten einen Angriff!

185

Lästigerweise geben sie sich nur selten nach der ersten Niederlage geschlagen!

Aha, da sind sie ja wieder!

Und immer bleibt diese Arbeit an mir allein hängen!

Die Kinder sind im Ferienlager, und Donald hatte wie so oft eine fadenscheinige Entschuldigung parat!

Urgs! Warum gehen die Hebel bloß so schwer?

Na ja, hehe… vielleicht sollte ich ihnen nach dreißig Jahren doch mal einen Tropfen Öl spendieren!

Am Morgen...

Endlich sind sie weg! Und ich...

...bin wieder mal völlig geplättet... schnarch!

Die Ruhe währt nicht lange...

Herr Duck!

Wir brauchen Ihre Hilfe!

Hören Sie...

...uns an!

Puh! Was ist denn da los?

Hmpf! Bestimmt wieder irgendwelche Schnorrer! Die werden von Tag zu Tag aufdringlicher!

189

190

191

Keuch! Schnell aufs Dach! Ich muss die Knoblauchbarriere in Betrieb nehmen!

ZUM DACH

Wenig später geht's wieder nach unten...

ZUM KELLER

Schnauf! Und jetzt...

...in den Keller, den Blitzableiter aktivieren! **Ächz!**

Jedoch, schon bald danach...

Keuch! Stöhn! Und jetzt wieder rauf, den Anti-hexenstrahler einschalten!

Und mit letzter Kraft...

Seufz! Ich hab vergessen, im Keller den Strom einzuschalten!

Doch schließlich, am Ende der Woche...

Juhuuu! Gescha-hafft!

HÜPF!

HÜPF!

DD

Endlich Ruhe… bis nächste Woche!

Ächz! Ich bin völlig groggy!

Jetzt werde ich Donald auftreiben! Er muss mich ablösen!

Auch wenn er dafür wieder horrende Summen fordert!

Komisch! Sein Schornstein raucht ja gar nicht!

194

195

Geraume Zeit später...

Wie bitte? Ein anpassungsfähiger Geldspeicher? Von Herrn Düsentrieb? Das muss ich sehen!

Bah! Der sieht immer noch aus wie vorher!

Du wirst staunen, Donald! Wie ein Chamäleon die Farbe, wechselt mein Geldspeicher...

...ab sofort je nach Angreifer von selbst seine Konsistenz!

Von selbst?

Na ja, fast von selbst! Man sitzt nur da und drückt ein paar Knöpfe!

Wie das denn?

Hihi! Freut mich, dass du neugierig geworden bist!

Du wirst das alles schon noch lernen!

Wozu?

Weil ich vorhabe, dich als Aufseher einzustellen!

Gemach!

Erst müssen wir noch ein paar Dinge klären!

Und das wäre?

Zum Beispiel, wie viel ich dabei verdiene!

Geld! Geld! Du denkst immer...

...nur an das eine! Immerhin biete ich dir die Chance, den Geldspeicher so lange unter meiner Anleitung zu kontrollieren...

...bis du es ganz allein kannst!

Raus damit! Wie viel zahlst du mir?

Hmpf! Sagen wir, zwanzig...

Zwanzig Taler die Stunde? Abgemacht!

Was? Von Talern war nicht die Rede! Zwanzig Kreuzer!

Vergiss es! Zwanzig Taler die Stunde oder du hast mich gesehen!

Schluchz! Na gut!

Juhuuu!

Dann kann ich endlich wieder Geschäftsreisen machen! Die hab ich schon viel zu lange verschoben! Ich musste mir ja ständig...

...irgendwen vom Hals halten!

Dafür hast du jetzt mich!

O ja! Du kostest mich ein Vermögen! Also streng dich gefälligst an!

Selbstredend!

Und so...

Hier kommen Riesenhammer...

...Wuchtwidder und...

...Schreckschraube! Hähä!

PK PK

He! Wirft er jetzt etwa auch uns raus?

Du hast den Hebel wieder zu heftig gezogen!

Die Wandlungsfähigkeit des Speichers ist enorm...

Wir protestieren energisch!

Dieses Bügeleisen ist Schrott!

Ebenso mein Toaster!

Hehehe! Die gehen uns nicht lange auf den Geist!

Bitte! Die Schallschluckmauer ist in Betrieb!

Und schließlich das große Finale...

Zittere! Jetzt komme ich!

ZISCH!

ZOSCH!

Bist du bereit, auf Gundels Blitze zu antworten, Donald?

Und wie!

Bibber! Was ist das? Warum ist mir plötzlich so kalt? **Brrr!**

Der vergessene Stichtag

Walt Disney

Onkel Dagoberts Telefone laufen langsam heiß!

Verkaufen!

Kaufen!

Verramschen!

Sofort abstoßen!

D-1831

Wie? Das Aktienpaket habe ich schon verkauft? Na gut, umso besser!

Hm, seltsam! Ich kann mich gar nicht erinnern, es veräußert zu haben.

211

Ihr Neffe Donald kommt! Er steigt gerade...

Er steigt? **Kaufen!**

Was red ich da! Das kommt davon, wenn ich bei der Arbeit gestört werde. Was will er denn?

Ich weiß nicht! Aber er murmelte etwas von einer guten Tat.

Hm... Das heißt, er will mich schröpfen!

Mitnichten, lieber Onkel Dagobert!

Bitte sehr, die gute Tat! Hiermit gebe ich dir den Zehner zurück, den du mir vor einem Jahr geliehen hast.

Ich?

Ja, du! Erinnerst du dich nicht?

Gnnn...

Uuuuuhh!

Nanu? Ist das deine neue Art zu jauchzen, Onkelchen?

Buhuhuu! Nein! **Nein!** Das darf nicht sein!

Ich verstehe zwar wirklich nicht, warum...

SPRITZ!

...aber wenn du das Geld nicht willst, nehm ich's wieder!

Pfoten weg, Kerl!

PATSCH!

Mich bedrückt nur, dass ich mich an diesen Zehner gar nicht erinnern kann!

Es ist ja auch nicht derselbe, den du mir gegeben hast. Deiner war zerknautschter.

Das meine ich nicht! Ich hab völlig vergessen, dass ich dir zehn Taler geliehen hatte.

Gibt's denn so was?

215

Bremsen, Willi! **Brems!** Ein Muli, mitten auf der Kreuzung!

Keine Aufregung! Wir kommen von rechts, also haben wir Vorfahrt!

BREEEMS!

Na, du Schlaukopf, sag ihm doch, dass wir Vorfahrt haben!

Halt bloß die Klappe!

Und...

Wo bleibst du denn mit dem Schneidbrenner?

Nur keine Hast! Wie ich unsren Esel kenne, haben wir genügend Zeit!

FRSSS!

Autsch!

ZACK!

Das ist der letzte Sack, Opa!

Hehe! Der alte Duck wird Glubschaugen machen!

Klar! Lies vor! Wie viel ist der Schotter wert?

Es handelt sich um archäologische Fundstücke, die Dagobert Duck von einem Experten hat schätzen lassen.

Er schreibt, in zwei- bis dreihundert Jahren könnten diese Ausgrabungsstücke ein Vermögen wert sein.

He! Hier hab ich was wirklich Wertvolles!

PATSCH!

Ächz!

Ein Schreiben an den alten Duck, dass der Pachtvertrag für das Grundstück abgelaufen ist...

...auf dem sein Geldspeicher steht. Wenn er ihn nicht unverzüglich erneuert, wird es versteigert.

Wir könnten es kaufen und die Pacht hochschrauben!

Aufs Zehnfache!

PK

Aufs Hundertfache!

Aber um es zu kaufen, brauchen wir Zaster!

Ist doch kein Problem!

Derweil...

Wie lange soll ich noch ausharren? Ich halte dieses Nichtstun und Dorettes Gemüsesäfte nicht länger aus!

Aber, aber! Wir sind doch erst drei Tage hier.

BAUERNHOF
Dorette
Duck

Hier ist dein Spinatsaft, Dagobert. Du weißt, Eisen ist gut...

...für mein Gedächtnis, ich weiß! Gib schon her!

Mir ist eh die ganze Zeit so, als wär mir was Wichtiges entfallen.

Vielleicht eine fällige Schuld?

Was glotzt du mich dabei so an? **Ich** habe meine Schulden bei dir bezahlt.

Ich glaube, es handelt sich um einen wichtigen Termin! Aber was für einer?

Ein paar Tage später...

Beeilt euch, Jungs! Ich bin gespannt, ob die Versteigerung schon ausgeschrieben ist!

RATHAUS

Die Panzerknacker, hier? Im Rathaus gibt es doch nichts zu klauen!

Aha! Da hängt der Schrieb!

Vielleicht weiß Herr Klever, was das bedeutet!

Pst! Ganz leise!

Der Preis ist ja viel zu niedrig angesetzt! Aber mit einer kleinen Korrektur...

ÖFFENTLICHE VERSTEIGERUNG DER PARZELLE LAGEBUCHNUMMER 15: FLÄCHE   000 m² PREIS   000 T

Hehe! Zwei Nullen weniger bei dem Flächenmaß, und schon ist den meisten dieses Minigrundstück zu teuer. Hähähä!

ÖFFENTLICHE VERSTEIGERUNG DER PARZELLE LAGEBUCHNUMMER 15: FLÄCHE: 10 000 m² PREIS: 200 000 T

221

222

Ach! Was hat die Zeitung mit deinem Blutdruck zu tun?

Wenn ich sehe, dass meine Aktien fallen, steigt mein Blutdruck.

So eine faule Ausrede! Gib auf der Stelle die Zeitung her!

Nicht so hastig!

Ich will nur noch den Lokalteil lesen! Oh! Die Stadt versteigert Parzelle 15.

O nein! Das ist's, was mir entfallen war!

Kapier doch endlich, dass du deine Geschäfte vergessen sollst!

Halt deinen Schnabel! Deinetwegen hab ich das Pachtrecht für den Grund verloren, auf dem mein Geldspeicher steht.

Na und? Ist das etwa so tragisch?

Die Stadt wird ihn versteigern, und dir steht wie jedem andern das Recht zu, ihn zu kaufen. Wer hindert dich?

Aber die Versteigerung beginnt in einer Stunde, du Klotzkopf!

Und so...

Und jetzt zur Parzelle 15. Mindestgebot 200 000 Taler!

Juhu!

Ja bitte?

Ich kauf den Grund! Hier ist das Geld.

Na gut! Nachdem offenbar keiner mehr bietet, erkläre ich...

Einen Moment! Ich biete 200 001 Taler.

Klaas Klever!

Also, meine Herren, bieten Sie weiter, oder geben Sie auf?

Grrr! Sie wissen genau, dass wir nicht mehr auf der Kralle haben!

225

Wie hat dieser Knochen das nur spitzgekriegt?

Es wird Ihnen noch bitter aufstoßen, dass Sie uns dieses Ding vermasselt haben!

Das glaub ich aber kaum!

...und zum Dritten! Die Parzelle 15 geht somit an Herrn Klever!

BUM!

Halt! Warten Sie! Ich möchte diesen Grund kaufen!

Zu spät, Verehrtester! Er gehört bereits mir.

Und das ist für Sie! Die Kündigung, die mein Sekretär schon im Voraus geschrieben hat!

Wie bitte?

Er gibt mir nur einen Monat Zeit, um das Gelände zu räumen. Das reicht grade, um alles abzureißen.

Von Klaas Klever ausgebootet und gedemütigt, weil ich auf einen unfähigen Ratgeber gehört habe!

Äh... Ich geh dann wohl lieber!

Das könnte dir so passen! Du bleibst hier, mein Freund! **Schnaub!**

RATSCH!

Du wirst mir helfen, ihm das Grundstück abzuluchsen!

Aber wie denn? Diesen Grund wird er nie verkaufen!

Mir ganz bestimmt nicht! Aber wenn ihm ein anderer einen stolzen Preis dafür böte... zum Beispiel ein Emir?

Und woher nimmst du einen Emir?

Diese Frage hätte ich mir auch sparen können! Grummel!

Der Emir Ben Zintank wünscht Sie zu sprechen!

Ach ja? Soll reinkommen!

KK

Salam! Freut mich, Sie kennenzulernen.

Ganz meinerseits. Was kann ich für Sie tun, Emir?

Verkaufen Sie mir eines Ihrer Grundstücke! Am liebsten die Parzelle 15.

Und warum ausgerechnet diese?

Nun… ich möchte dort eine Ölraffinerie bauen lassen.

Ach! Ich wusste sofort, dass Sie ein ganz **Raffinierter** sind!

Aber…

Betrüger!

Bye, bye, Cowboy!

Hmpf!

Na, wie ist es gelaufen?

Schlecht! Dabei hatte ich ihn fast schon so weit!

Aber dann fragte ich dummerweise nach dem Skonto, und damit verriet ich mich.

Gib's auf und fang lieber damit an, deinen Geldspeicher abreißen zu lassen!

Wird nicht einfach sein, einen anderen Platz für ihn zu finden.

Ganz zu schweigen von den Kosten!

Aber du hast keine andre Wahl!

Das ist leider wahr! Seufz!

Ich würd dir ja gerne helfen!

Weißt du, was? Geh du auf die Suche nach einem geeigneten Grund! Ich versuch's noch mal bei Klever.

Und so...

Hier würde mein Geldspeicher zum Wahrzeichen Entenhausens!

Was meinen Sie, Herr Ingenieur?

Unmöglich! Hier besteht bei jedem Regen Erdrutschgefahr.

Sehen Sie? Ihr Geldspeicher würde auf die Stadt hinabpurzeln!

Auch Donalds zweiter Versuch, Klaas Klever zu täuschen, endet eher schmerzhaft...

Seufz!

Das nächste Grundstück erweist sich als ein Schlag ins Wasser...

Der Grundwasserspiegel ist zu hoch. Hier würde Ihr Geldspeicher schlicht und ergreifend versinken.

232

Einer freut sich diebisch über solche Nachrichten...

Hehehe! Bei seiner Suche entfernt er sich immer mehr von Entenhausen.

Ist der Geldspeicher erst mal aus der Stadt verschwunden, ist Dagobert Duck erledigt.

An der Stelle des Symbols seiner Macht entsteht dieser Obelisk als Zeichen meines Sieges.

Es ist eine Schande, dass Klaas Klever auf unsere Kosten dem alten Duck eins auswischt!

Keine Bange, das werden wir verhindern. Opa hat einen Plan.

Derweil...

So, da wären wir, Herr Duck! Das halte ich für einen idealen Platz.

Ich soll meine geliebten Talerchen in die Nähe von Lumpenpack und Diebsgesindel bringen?

STRAF-ANSTALT

Vorausgesetzt, Sie stört die Nachbarschaft nicht!

Huch!

Pah! Wir fahren zurück nach Entenhausen!

Schließlich...

Morgen ist die Frist um und ich habe nichts erreicht.

Gräm dich nicht deswegen!

Weißt du, ich habe herausgefunden, dass Klaas Klever eine Leidenschaft für den Film hegt!

Als Regisseur Scorkeese werde ich ihn rumkriegen!

Diese Verkleidung durchschaut er doch sofort, du Stümper!

Doch weit gefehlt...

Sie wollen mich wirklich für die Hauptrolle in Ihrem nächsten Film?

Ja! Ich bin ständig auf der Suche nach neuen Gesichtern.

Und der Film soll hier in Entenhausen gedreht werden?

Eine Stelle für die neuen Studios hab ich schon.

Diesen Hügel habe ich auserkoren. Nur dieser hässliche blaue Stahlklotz stört mich. Der müsste weg!

Kein Problem, Herr Scorkeese! Der wird morgen sowieso abgerissen.

Das Grundstück gehört mir! Und als Filmliebhaber ist es mir eine Ehre, Ihnen diesen Hügel...

...für 500 000 Taler zu verkaufen. Recht so?

Schluck!

235

236

Er ahnt ja nicht, welch eine Überraschung ich für ihn habe! **Hahaha!**

Hihihi!

Rufen Sie bei der Fernsehanstalt an und vereinbaren Sie eine Pressekonferenz!

Mit dem größten Vergnügen!

Am selben Abend...

Donald, schalte schnell den Fernseher ein! Klaas Klever will eine öffentliche Mitteilung machen.

Nanu! Warum zeigen sie meinen Geldspeicher?

...und als wir neben dem Geldspeicher den Aushub für das Fundament eines Obelisken machten, stießen wir auf wertvolle historische Funde...

Waaas?

237

...dieser Art. Es scheint sich um Relikte aus der Wikingerzeit zu handeln.

Da dort sicher noch mehr liegt, wird Dagobert Ducks Geldspeicher einer Ausgrabungsstätte weichen müssen. Stimmt's, Herr Bürgermeister?

Dieser Lump!

Da hat er dich aber ganz schön reingelegt!

Denkt **er!** Aber er wird sich noch wundern!

Folge mir, Neffe! Diese lahme Sendung braucht unbedingt einen deftigen Knalleffekt!

...denken wir, dass diese Fundstücke ein unwiderlegbarer Beweis dafür sind, dass...

...Klaas Klever nachweislich ein gemeiner Betrüger ist!

Herr Duck?

Mit haltlosen Beschuldigungen können Sie Ihren Geldspeicher auch nicht retten!

Haltlos?

Diese Dokumente beweisen, dass man Ihre „Fundstücke" vor zwei Monaten an anderer Stelle entdeckt hat!

Sie wurden **mir** gestohlen! Wie wollen Sie das der Polizei erklären? Denken Sie mal darüber nach!

Schluck! Aber ich...

Nun, was sagen Sie zu diesen Anschuldigungen, Herr Klever?

Schnaub! Ich... grrr!

Wir müssen an dieser Stelle die Liveübertragung unterbrechen, da hier derzeit akute Explosionsgefahr besteht!

Hähähä! Da kommt Laune auf! Das war unsere Rache für die vermasselte Tour!

Panzerknacker sind halt schlau, vergruben Stücke von dem Klau neben Bertels Geldspeicher, jau... **Hahahaha!**

Und als Klevers Arbeiter sie fanden, befürchtete er, die Stadt würde das Grundstück beschlagnahmen.

Und deshalb hat er es blitzschnell für ein Schweinegeld an Donald verkauft.

PK∞
PANZERKNACKER
PROVISORISCHER
WOHNSITZ

Klar, dass er die heiße Kartoffel loswerden wollte!

Trotzdem hat er sich die Flossen verbrannt!

Jetzt sind wir mit Klaas Klever wieder quitt. Prosit!

Und können uns wie früher ganz auf den alten Duck konzentrieren!

240

241

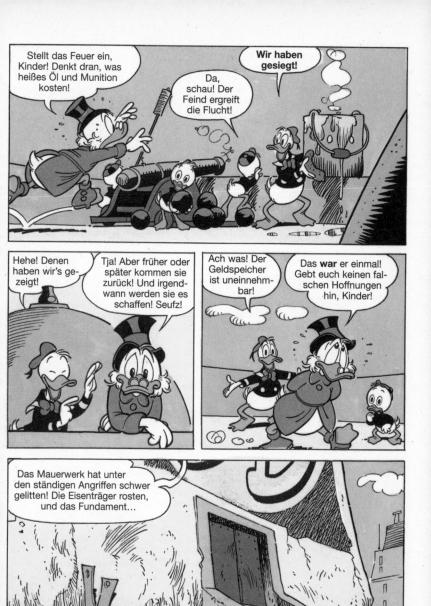

243

...gibt langsam, aber sicher nach! Der Geldspeicher ist nur noch eine Ruine!

Oh! Und wenn du ihn renovierst?

Wozu? Die Panzerknacker werden wiederkommen und ihn mit Dynamit attackieren, und dann...

...war alles umsonst! Tja!

Tatsache ist, dass ich für meinen Geldspeicher einen strategisch falschen Platz gewählt habe!

Hier oben auf dem Hügel liegt er wie auf einem Präsentierteller!

Und bietet dem Feind eine optimale Angriffsfläche!

Wirklich sicher wäre er nur draußen im Weltall!

Oder auf dem Grunde des Meeres!

Oder einfach unter der Erde!

?

ZOIIING!

Unter der Erde! Natürlich! Dort werde ich mir einen neuen Geldspeicher bauen!

Was?

Versteckt und geschützt zugleich! Ist das nicht eine großartige Idee?

Na ja, schon! Ich versteh nur nicht, wie...

PATSCH!

Ich werd's euch erklären! Aber nicht hier oben!

Warum nicht?

Wie ich die Panzerknacker kenne, sind sie noch irgendwo in der Nähe und versuchen, uns zu belauschen!

Kommt mit runter in mein Büro! Dort sind wir sicher vor unerwünschten Mithörern!

Gut!

Wie vermutet...

Nun? Kannst du sie sehen? Was machen sie?

Mist! Sie sind ins Haus gegangen! Der alte Duck ahnt wohl, dass wir ihn beobachten!

Bestimmt heckt er gerade einen neuen Verteidigungsplan aus! Und den hätte ich ihm von den Lippen ablesen können!

Dann müssen wir eben auf unsere altbewährte Schröpfkopfmethode zurückgreifen!

Schluck! Nein! Nicht den Schröpfkopf! Bitte nicht!

Stell dich nicht so an! Es ist unsere einzige Möglichkeit, den alten Duck zu belauschen!

Aber warum immer ich?

Er „klebt" an der Mauer! Und zwar genau neben dem Bürofenster vom alten Duck!

So kann er jedes Wort hören, das dort gesprochen wird!

Na, was sagt ihr, Kinder? Ist das nicht eine geniale Idee?

Ein unterirdischer Geldspeicher? Klingt gut! Aber das wird gar nicht so einfach sein!

Pah! Mit der heutigen Technik? Kleinigkeit!

Zuerst wird ein Schacht gegraben! Tiefe: ein- bis zweihundert Meter! Wenn es sein muss, auch noch mehr!

Die Wände sind aus Beton, verstärkt mit Eisenstahl!

ERD-OBERFLÄCHE

SCHACHTWÄNDE AUS BETON

Und das ganz unten auf dem Grund wird der Tresorraum, geschützt von Unmengen von Tonnen Erde!

ERD-BERFLÄCHE

ACHTWÄNDE US BETON

TIEFE: 200 METER

TRESOR-RAUM

Oh!

Klingt gut!

Dort unten wird mein Geld endlich in Sicherheit sein!

Und im Falle eines Angriffs brauchst du nur noch den Eingang zum Schacht zu verteidigen!

So ist es! Hehehe!

In den Tresorraum kommt man mit einem Aufzug, zu dem nur ich den Schlüssel habe!

Hurraaa!

Bravo, Onkel Dagobert!

Ein genialer Plan!

Ein verflixt genialer Plan! Das muss ich sofort Opa erzählen!

Das Einzige, was uns jetzt noch zu knacken bleibt...

...sind allenfalls lumpige Kaugummiautomaten!

Hört auf! Ihr geht mir auf den Geist!

Die Lage ist ernst, aber nicht hoffnungslos! Eine Chance haben wir vielleicht noch, aber...

Aber?

Wir müssen handeln, bevor der neue Geldspeicher fertig ist, das heißt, noch während er gebaut wird!

Wie? Dann ist das Geld doch noch gar nicht drin!

Um das Geld geht's auch gar nicht! Wir mischen uns unauffällig unter die Bauarbeiter...

...und nehmen im richtigen Moment ein paar bauliche Veränderungen vor! Hehe!

Oh! Und was sind das für Veränderungen?

Das werdet ihr dann schon sehen! Lasst euch überraschen!

Pah! Immer diese Geheimniskrämerei!

Zur gleichen Zeit gibt Onkel Dagobert seinen Bauingenieuren die nötigen Anweisungen...

Ich wünsche, dass der neue Geldspeicher in einem Monat fertig ist!

Jawohl, Chef!

Sie können sich darauf verlassen!

Die Pläne für dieses Projekt sind bereits fertig! Und wenn Sie die Ohren spitzen...

...hören Sie den Lärm der Baumaschinen, die schon mit dem Graben begonnen haben!

Tatsächlich!

DRÖHN! ROMPEL! WROMM!

Für so viele Arbeiter ist der Aushub ein Kinderspiel!

Sind es wirklich zweihundert Leute?

Mehr oder weniger! Auf ein paar kommt's bei so vielen nicht an!

BONG!
HÄMMER!
DRÖHN!
KLOPF!

Auf die hier schon...

Es hat uns keiner gesehen! Schnell, zieht die Arbeitshosen an!

Richtig!

Damit man uns nicht erkennt!

Keine Gefahr! Haha! Bei dem Gewimmel fallen wir bestimmt nicht auf!

Wir tun einfach so, als gehörten wir zu den Arbeitern! Seid ihr bereit?

Ja!

Also los! Spuckt in die Hände und legt euch ins Zeug! Ist ja nur für kurze Zeit!

Gebongt!

KLONG! ROAAR!

WROMM!

Und so arbeiten zwei Parteien an ein und demselben Projekt, aber mit grundverschiedenen Absichten. Onkel Dagobert will sein Geld in Sicherheit bringen...

Der Aushub ist fertig, Herr Duck! Wir sind jetzt auf zweihundert Meter!

Sehr gut! Jetzt müssen die Wände nur noch mit Beton ausgegossen werden!

255

...während die Panzerknacker darauf aus sind, es ihm zu stehlen...

Hör bloß auf! **Keuch! Keuch!** Weißt du, wie viele Sprossen diese Leiter hat?

Na endlich! Wo bleibt ihr denn so lange mit den Kisten?

Quatscht nicht lang rum! Schnell, werft die Kisten in das Loch!

Ja, ja, bin schon dabei! Stöhn!

ROMS!

Und jetzt schnell mit Erde bedecken, damit niemand...

Hm...

He, ihr da!

VROSCH! VROSCH!

Darf man fragen, was das soll? Warum vergrabt ihr diese Kisten?

Schluck! Oh, das... ähem...

Diese Kisten sind leer! Verstehen Sie? Nix drin!

Ah ja? Und warum vergrabt ihr sie dann?

Weil sie uns bei der Arbeit im Weg sind! Und wenn wir sie vergraben, brauchen wir sie schon nicht die Leiter raufzuschleppen!

Hm… gute Idee!

Weitermachen! Aber beeilt euch! Bald kommt die erste Fuhre Beton für das Fundament!

Hehehe!

Puuuh! Um ein Haar!

Also ehrlich, Opa, ich kapier immer noch nicht, worum's eigentlich geht!

Was ist in diesen Kisten? Und warum verbuddeln wir sie hier unten, in zweihundert Meter Tiefe?

Das werdet ihr schon noch erfahren, Jungs!

257

Dies ist die Eingangshalle und dort drüben der Tresor für das Kleingeld!

Und diese alte Pumpe?

Führt direkt hinunter zum Tresorraum in zweihundert Meter Tiefe!

Fantastisch! Und wie kommt man da runter?

QUIETSCH! QUIETSCH!

Mit diesem Aufzug, zu dem nur ich einen Schlüssel habe!

Ach!

Kommt mit!

Hm... ist er auch sicher?

KLANG!

Aber ja! Es dauert nur ein Weilchen...

KLICK!

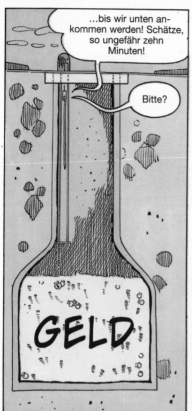

...bis wir unten ankommen werden! Schätze, so ungefähr zehn Minuten!

Bitte?

GELD

Zehn Minuten sind eine lange Zeit. Und während der Aufzug langsam in die Tiefe fährt...

Jetzt müssen wir nur noch die Zündmaschine anschließen...

...und dann können wir den Geldspeicher vom alten Duck ausräumen!

Waaas?!

KLINK!

Den Geldspeicher unter der Erde?

Mit diesem Ding da?

So ist es! Und weil ihr anscheinend immer noch nichts kapiert...

Überlegt doch mal! Mit dieser Ladung Sprengstoff unter dem Fundament ist das nicht mehr länger ein Geldspeicher...

GELD

...sondern ein gigantisches Kanonenrohr, geladen mit Dagobert Ducks Millionen!

Oooh!

Die Kabel habe ich während der Bauarbeiten gelegt und jetzt an diese Zündmaschine angeschlossen!

Du meinst... du willst...

Was sonst! Ich brauche nur auf den Hebel zu drücken, dann wird der ganze Geldsegen in die Luft „geschossen"...

BEGNADIGT

...und dann brauchen wir nur darauf zu warten, dass er wieder runterfällt!

Hurra! Was für eine Idee!

Opa lebe hoch!

264

Apropos... etwas haben wir ganz vergessen...

Stöhn! Und was?

Das Geld! Es müsste doch längst wieder runtergefallen sein!

Stimmt!

Wo bleibt es nur so lange?

Es ist auf und davon!

Aber wohin kann es geflogen sein?

Hoffentlich nicht hinauf bis in den luftleeren Raum!

Dann können wir uns die Millionen abschminken!

Schnell, zum Observatorium! Wir suchen es mit dem Spiegelteleskop!

Huch!

WUTSCH!

...liegt dieser Punkt genau 30 Kilometer westlich von Entenhausen!

Nichts wie hin!

FLITZ!

Aber doch nicht zu Fuß! Das ist doch viel zu weit!

Ganz egal, Tick! Ich geh meilenweit für meine Taler!

Jedoch...

Weiter, Kinder! Schlappmachen gilt nicht!

Ich brech gleich zusammen! **Stöhn!**

Keuch! Keuch!

Wie weit ist es noch?

Die bewusste Stelle müsste genau hinter diesem Hügel liegen!

Neiiin!

275

Der fliegende Geldspeicher

WALT DISNEY

Seit Tagen, ja Wochen schallt nun schon das Wehklagen von Dagobert Duck durch die Stadt und hallt wie gnadenlose Gongschläge in den Köpfen der armen Entenhausener wider…

OH, ICH ARMER, ALTER MANN!

WEH! ACH! WEH!

Wie lange jammert Onkel Dagobert nun schon rum, weil die Panzerknacker aus dem Gefängnis entlassen werden?

Ewig! Er wird wohl langsam echt alt. Sonst hat er bei solchen Gelegenheiten immer nur kurz auf die Tränendrüse gedrückt und sich dann Gegenmaßnahmen einfallen lassen.

Dagobert, fasse dich! Sammle deine Kräfte und unternimm was!

Hallo, Donald? Dein armer alter Oheim bittet dich, auf einen Sprung vorbeizuschauen und ihm ein wenig zur Hand zu...

Nein! Und nochmals neiii...

...IIIIIN!

Meiner Treu! Es geht zu Ende mit mir und meinen Geschäften. Jetzt schaffe ich es nicht mal mehr, mit dem bewährten Charme meiner Onkelliebe meinen Neffen dazu zu bewegen, gratis für mich zu arbeiten. O tempora, o mores! Wo soll das noch hinführen?

Weitere Tage verstreichen und Donald meidet in gewohnter Manier nicht nur Frondienste für Onkel Dagobert, sondern schlicht jegliche Arbeit...

Hach, war doch mal wieder ganz entspannend heute! Werfen wir mal ein Blickchen in die Zeitung...

ENTENHAUSENER KURIER

DUCK LOBT PREIS AUS

DER STADTBEKANNTE FANTASTILLIARDÄR DAGOBERT DUCK HAT EINEN WETTBEWERB FÜR SPITZENWISSENSCHAFTLER AUSGERUFEN. DIE AUFGABENSTELLUNG LAUTET, EIN UNBEZWINGBARES SYSTEM ZUR VERTEIDIGUNG GROSSER VERMÖGEN UND IHRER BESITZER ZU ENTWICKELN. DEM SIEGER WINKT LAUT DUCK NEBEN DEM RUHM EINE GROSSZÜGIGE PRÄMIE UND DER SIEGERENTWURF SOLL...

Holla, der alte Knicker hat wirklich die Panik! Wer das beste und preisgünstigste Konzept vorlegt, kriegt allen Ernstes 1000 Taler von ihm?

Wie wär's, Donald? Gewieft, wie du bist, stellst du diese Wissenschaftswichtel doch wie Gartenzwerge ins Geranienbeet, wenn nicht gar in den Schatten!

Kinder, ich bin in meinem Refugium und arbeite! Wehe, einer von euch wagt es, mich zu stören!

Refugium, hm? Tja, entweder ratzt er gleich ab... oder er bringt sich und uns mal wieder ordentlich in Schwierigkeiten.

WAMM!

Die Wettbewerbsausschreibung im Kurier wird indes auch von wirklichen Wissenschaftlern mit Interesse gelesen...

...und alsbald eilt die Creme der Geisteswelt mit allen nur erdenklichen Fortbewegungsmitteln nach Entenhausen, um sich der Herausforderung zu stellen!

Ihr lieben Kinderlein, wo finde ich denn das Domizil des verehrten Herrn Dagobert Duck?

Da oben auf dem Hügel, altes Opilein! Können Sie gar nicht verfehlen.

Howdy, Boys, wo ick finde der Mister Duck?

Hau dich selber! Und da auf dem Hügel!

So, das dürfte uns die Grützköpfe vom Hals halten. Vielleicht lassen uns die Herren Wissenschaftler ja jetzt wieder in Frieden spielen.

DAGOBERT DUCKS GELDSPEICHER → DA LANG!

Eine lange Prozession von Superhirnen folgt dem Wegweiser zum Geldspeicher...

DD

Hier entlang bitte, die Herrschaften! Sie werden bereits erwartet.

Meine Herren, geschätzte Anwesende, ich entbiete Ihnen meine hoffnungsvollsten Grüße! Wie Ihnen ja bekannt ist, erwarte ich von Ihnen bahnbrechende Konzepte, mich und vor allem mein Geld zu schützen. Sie haben das Wort!

Verehrter Herr Duck, für Ihr Problem gibt es eine ganz simple Lösung! In aller gebotenen Kürze ausgeführt, geht es dabei zunächst darum, sämtliche Personen zu identifizieren, denen außer Ihnen übergebührlich an Ihrer Barschaft gelegen ist...

...und fürderhin allen diesen Leuten eine so üppige monatliche Apanage auszuzahlen, dass für sie Raub und Diebstahl überflüssig wird und ihnen somit unverzüglich sämtliche Gelüste nach Ihrem Gesamtvermögen vergehen. Nach meiner Kalkulation Ihrer bekannten personellen Risikofaktoren müssten Sie da mit etwa 15 Milliarden Talern jährlich problemlos hinkommen.

Ich darf mir gestatten, meinem werten Kollegen grundsätzlich zu widersprechen! Ich bin davon überzeugt, dass mit zunehmendem Besitz proportional auch die Gier wächst. Darob rate ich Ihnen, lieber Herr Duck, zum Erwerb eines größeren Vulkans, der zunächst mit etwa 50 Milliarden Litern Schaum zum Erlöschen gebracht werden müsste.

Sowie der Vulkan inaktiv und der Krater abgekühlt ist, kann Ihr Geld dort gelagert werden. Zuvor muss natürlich noch der Vulkanschlund abgedeckt und mit einem aufwendigen Sicherheitssystem zur Warnung vor einem Wiedererwachen gesichert werden. Geschätzter Kostenpunkt gesamt – etwa eine Fantastilliarde Taler!

Bitte, liebe Kollegen! Jetzt wird es aber arg abwegig! Als Politikwissenschaftler kann ich Ihnen versichern, Herr Duck, dass es zur Sicherung Ihres Vermögens vollkommen ausreicht, das politische System ein wenig zu Ihren Gunsten anzupassen.

Finanzieren Sie mir einfach eine Wahlkampagne und ein paar... schlagkräftige Unterstützer! Und sowie ich gewählter Dikta... Regierungschef bin, kümmere ich mich persönlich um Ihre Sicherheit und die Ihres Vermögens. Und das alles für schlappe 200 Milliarden Taler in bar – und weitere 200 Milliarden in fantastilliardärsfreundlich gestaffelten Monatsraten.

M-meine H-Herren, ich habe Ihre Ausführungen tief erschüttert vernommen. Und mir ist jetzt klar, dass Sie den Kern meines Wettbewerbs in keinster Weise verstanden haben.

Ich möchte mein Geld verteidigen und bewahren – und es nicht für Schutzmaßnahmen komplett durchbringen!

Und jetzt raus! Alle miteinander! Hinfort!

So regen Sie sich doch ab! Ihre Ausschreibung war da eben ein wenig missverständlich...

Oh, oh... Onkel Dagobert entwickelt sich mehr und mehr von schwierig in Richtung... unausstehlich.

BLAMM! ZISCH!

Wir sollten Onkel Donald dringend davon abbringen, auch einen Vorschlag bei Onkel Dagobert einzureichen. Sonst fängt er sich diesmal neben der üblichen Abfuhr womöglich noch was deutlich Bleihaltigeres ein.

Von wegen, Jungs, mein Konzept ist fertig und genial! Und nach dem Abgang meiner Konkurrenten bin ich jetzt ohnehin Onkel Dagoberts einzige Hoffnung.

Noch einer? Ich will hier keine Eierköpfe mehr sehen! Raus!

FUCHTEL! ENTSICHER!

Oh! Du bist's, Neffe. Bist du gekommen, um dich an meinem Scheitern zu weiden?

Ach wo! Außerdem ist dein Wettbewerb noch gar nicht gescheitert. Hör dir erst mal mein Konzept an!

Pass auf, ich glaube, dein Geldspeicher ist deswegen so gefährdet, weil jeder weiß, wo er ist. Wenn du nun aber einen Weg finden würdest... ihn nicht mehr für alle zugänglich zu machen, ja sogar aus dem allgemeinen Blickfeld verschwinden zu lassen...

Sprich weiter, ich bin interessiert...

...speziell natürlich aus dem Blickfeld der Panzerknacker, dann müsstest du dir gleich weit weniger Sorgen machen, wenn überhaupt noch welche!

Wenn ich recht verstehe, schlägst du vor, den Speicher zum Schweben oder Fliegen zu bringen. Aber... die Kosten, der Energieaufwand und die technischen Probleme so eines Vorhabens wären immens!

Pft! Heutzutage gibt's zwar superstarke Atomantriebe und Mega-Düsentriebwerke und was weiß ich nicht alles – und das Zeug ist superteuer, da hast du recht. Warum denkt eigentlich keiner mehr an das gute alte Luftschiff? Preiswert aufblasbar, trägt große Lasten...

Grundgütiger!

Aber ja! Ein Zeppelin-Speicher! Warum bin ich da nicht schon lange draufgekommen? Ein Luftschiff, das sich mitsamt meiner Talerchen hoch in die Wolken erhebt und mein Vermögen für die Panzerknacker zum unerreichbaren Luftschloss macht!

SAUS!

Sie möchten eine Machbarkeitsstudie für ein Großluftschiff, Herr Duck? Da verweise ich Sie gerne an meinen Erfinderkollegen Graf von Trippelin, der ist Experte auf diesem Gebiet.

KÜHL-OFEN

Dagobert Duck bricht mit seinem Privatjet und Donald unverzüglich zum von Düsentrieb empfohlenen Zeppelin-Fachmann auf...

283

...und erreicht nach einigen Flugstunden das Luftschiff-Testgelände von Trippelins...

Zum Gruße, Herr Wachschützer, Duck mein Name! Wären Sie wohl so freundlich, mir den Weg zu Herrn von Trippelin zu weisen? Ich habe ein Anliegen.

Tja, Anliegen nur nach Anfliegen. Sein Büro ist in der Kabine des Luftschiffs da. Probieren Sie es, aber ich bezweifle, dass er Sie empfangen wird!

Uack!

DING! DONG!

VON TRIPPELIN

Verflixt, hat denn noch immer nicht jeder begriffen, dass ich nicht gestört werden will? Wer wagt es nun wieder, mich zu behelligen?

DINGELING!

Diesem Affront muss sogleich mit gleichwertigen Gegenmaßnahmen begegnet werden!

FLOPP!

He, da geht eine Klappe auf! Bestimmt lässt man uns gleich eine Leiter herunter… Ja, die Macht des Geldes!

SWUSCH!

D-das v-verstehe, wer will…

Deckuuung!

Bombig! Der hält Feuerwerk offenbar für mächtiger als deine Taler.

SBAAAMMM!

Schluchz! Will mir denn wirklich keiner helfen? Hat nicht mal dieser von Trippelin Mitleid mit mir armem alten Mann?

Gnade, o König der Luftschlösser! Nur Sie können mich von meinem Leid erlösen! **Biiitteee!**

Ich fürchte, ich werde diesem Jammerlappen wirklich eine Audienz gewähren müssen, sonst kommt mir von dem Gewimmer mein Frühstück wieder hoch.

WEH! ACH! WELCH GRAM!

SCHLUSS JETZT! KOMMEN SIE RAUF!

Hurra! Ich habe von Trippelin geknackt!

Noch nicht ganz! Aber immerhin schwebt Dagobert Duck bald in höheren Sphären und darf dem Himmlischen sein Anliegen schildern…

Tja, verehrter von Trippelin, nun wissen Sie alles über mich und meine beklagenswerte Lage. Bald sind die schrecklichen Panzerknacker wieder frei!

Nun denn, es sei! Ich werde versuchen, Ihnen zu helfen. Indes wird es eine gewaltige Menge Helium brauchen, um die Flugkörper dessen, was mir vorschwebt, zu befüllen.

Kein Problem! Ich besitze drei Unternehmen, die Edelgase produzieren.

Bestens. In zwei Tagen werde ich Ihnen die Pläne für Ihr Projekt präsentieren.

Anschließend schicke ich Ihnen geschultes und vertrauenswürdiges Personal nach Entenhausen, das den Bau nach meinen Vorgaben ausführen wird. Auf gutes Gelingen!

Prosit!

287

Die Baupläne sind fertig und Dagobert Duck richtet rund um seinen Speicher eine Luftschiffwerft ein...

...nun verlöten Sie Schelle 443b mit Durchlaufmuffe Xc...

...die noch vor dem Beginn der eigentlichen Arbeiten durch eine gewaltige Zeltkonstruktion vor neugierigen Blicken geschützt wird!

HÄMMER! KLONG!

Und schließlich ist eines für den Fantastilliardär schönen Tages der fliegende Geldspeicher endlich fertig...

Hurra!

Der Speicher fliegt! Ein Hoch auf unser Mega-luftschiff!

Und hoch lebe von Trippelin samt seiner Ingenieurs-kunst!

Im Schutze der Nacht macht man schließlich die Leinen des seltsamen Flugobjektes los und entschwebt!

Von Dagobert Ducks starker Hand persönlich gesteuert, geht es hoch hinauf und weit weg von Entenhausen...

In der gefürchteten Justizvollzugsanstalt Duckatraz fiebern derweil die Panzerknacker ungeduldig dem Tag der Freiheit entgegen...

Meine Herren, in meiner Eigenschaft als Direktor gratuliere ich mir und Ihnen! Ihre vorbildliche Führung ermöglicht Ihnen nun die vorzeitige Entlassung. Ich hoffe, Sie werden sich künftig in Freiheit ebenso tadellos führen, damit wir uns nicht früher als erwartet hier wiedersehen.

Vergebliche Hoffnung, vergeudete Worte! Denn die unbelehrbaren Gewohnheitsverbrecher machen sich nicht mit hehren Gedanken auf den Heimweg nach Entenhausen...

Hach ja, die guten Metallbauerkurse im Knast... Dank unseres netten kleinen Perforators hier wird Bertels Speicherwand gleich aussehen wie ein ziemlich teurer Schweizer Käse!

Der Plan ist so simpel wie effektiv, Männer, wir sind's in der Zelle ja x-mal durchgegangen. Wand der Speicherhaupthalle anbohren und warten, bis die Talerchen strömen! Harhar!

Also, auf geht's! Weg das komische Zelt und ran an die Wand!

Och nö! D-das g-glaub ich jetzt einfach nicht!

Die Panzerknacker erwartet bei ihrem ersten großen Coup nach der Entlassung eine böse Überraschung...

Neiiiiin! Bertel, du bist sooo fiiies!

Besagter Bertel schwebt derweil oberhalb von Wolke sieben und schläft den Schlaf des Siegers...

Zentralbank, bitte kommen! Hier Duck! Wie stehen die Aktien der Duck AG?

Stark steigend, Herr Duck! Allerdings bitten wir Sie, uns mitzuteilen, wohin wir Ihre Tageserträge bringen sollen. Bisherige Lieferadresse war Ihr Geldspeicher, aber der steht ja nicht mehr an seinem Platz...

Hm, die Tageseinnahmen... daran hätte ich denken müssen. Könnten Sie nicht Tankflugzeuge verwenden? Halt, nein... die Piloten könnten meine aktuelle Position ausplaudern und dann würden mich die Panzerknacker garantiert auch hierher verfolgen.

Hm, unschönes Dilemma! Wenn ich mir mein frisches Geld kommen lasse, riskiere ich die Sicherheit meines Geldspeichers und der Talerchen, die schon drin sind. Wenn ich es mir nicht schicken lasse, werde ich am Ende noch krank vor Sehnsucht.

Schau an! Pelikane können offenbar problemlos auch in dieser Höhe fliegen. Und dieser Kehlsack am Schnabel... hmm... ich frage mich...

Heureka! Brillante Idee! Ich lasse mir meine Talerchen von abgerichteten Pelikanen bringen – die petzen nicht!

Hallo? Tierheim Entenhausen? Dagobert Duck hier. Hätten Sie eventuell ein paar heimat- und arbeitslose Pelikane im Sortiment? Bestens! Schicken Sie sie bitte an meinen Neffen Donald, ich möchte den armen Tieren gern eine neue Heimstatt geben!

Onkel Donald? Wach auf! Da ist wer für dich an der Tür!

Tagchen, ich komme vom Tierheim und bringe die Pelikane, die Ihr Onkel adoptieren will.

Bitte?

Jetzt ist er glatt umgekippt. Was Onkel Dagobert wohl mit den Vögeln will?

Hier ist eine verschlüsselte Nachricht von ihm. Ich versuch, sie zu entziffern… und ihr geht am besten erst mal einkaufen. Diese zierlichen Vögelchen fressen meines Wissens Tonnen von Fisch!

Oooh, die sind aber echt lieb!

So viel Fisch können wir uns nicht leisten. Da investieren wir unsere letzten Kröten lieber in neues Angelzeug!

Donald macht sich derweil daran, Onkel Dagoberts Instruktionen umzusetzen und richtet die Pelikane ab…

Also, habt ihr das alle kapiert? Jeder, der mit seiner Ladung den Geldspeicher erreicht, kriegt jedes Mal einen fetten Hering.

Puh, schon wieder den ganzen Tag fischen. So langsam ist das kein Freizeitvergnügen mehr, sondern brutale Plackerei!

Mit jedem Tag wird die Bindung zwischen Donald und seinen gefiederten neuen Freunden und Schülern enger…

…bis schließlich eines schönen Tages…

Neffe, kommen! Können wir es heute mit der ersten Ladung riskieren? Dagobert Ende!

Könnte klappen, ich schicke sie los. Donald Ende und aus!

Also dann, Jungs! Direkter Anflug, keine Ehrenrunden, so wie wir's geübt haben, ja? Und bei Erfolg gibt's lecker, lecker Hering!

Da kommen sie! Sie kommen! Das Experiment ist geglückt! Heißa! Hurra!

Kommt rein, kommt rein, meine fliegenden Freudenspender!

...48 ...49 ...50! Fünfzig Säcke mit frischen Talerchen – plus einer mit Frischfisch! Genau so soll's sein! Lasst es euch schmecken!

SCHLING!

HAPS!

Die Panzerknacker haben sich derweil in ihr altes Versteck zurückgezogen und lassen erst mal Dampf ab. Denn zum Zornigsein haben sie allen Grund...

Kalte Dosenbohnen statt Kaviar und Lachs! Bjäch! Dann lieber Knastkantine!

Grrr! Mir wär nach Ente kross mit kalter Ente!

Pelikan am Spieß tät's auch! Leider ist grade keine Jagdsaison. Wenn wir den runterholen und erwischt werden, fahren wir sofort wieder ein.

Aber der Hunger, ihr wisst ja, da muss man auch mal was rikieren... Heut Abend gibt's Grillikan!

BRAKK!

PENG!

Hoppala! Kommt ein Vogel gefallen... mit 'nem Zettel im Schnabel! Was da wohl draufsteht?

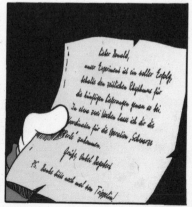

Schau an! Hier fliegen einem die Vögel neuerdings ja schon reichlich gefüllt zu! Zieht euch das mal rein!

Boah… die Pelikane scheinen abgerichtet zu sein, da sind noch mehr. Bestimmt schwebt Bertels Speicher irgendwo da oben rum und und die bringen ihm frischen Kies!

Was meint ihr, knallen wir die Viecher ab und schnappen uns ihre „Fracht"?

Blödmann! Wie gesagt, es ist grad keine Jagdzeit. Kaum hört der erste Beamtenkopf unsere Schüsse, haben wir alle Bullen der ganzen Gegend am Hals. Schnappen wir uns lieber diesen Trippelinbruder, dem Bertel da in seinem Briefchen dankt. Der weiß bestimmt mehr!

Genial!

Ein Flieger ist schnell geklaut, und so sind auch die Panzerknacker alsbald in der Luft…

296

Hallihallo, Alterchen! Wir kennen uns noch nicht. Aber du wirst uns gleich kennenlernen, wenn du uns nicht alles über deinen Deal mit Dagobert Duck erzählst.

Niemals! Sie sprechen mit Theoderich von Trippelin, einem Ehrenmann! Ich lasse mich nicht dazu herab, mich mit Halbweltlern abzugeben.

Schluck! Höchstens unter Androhung von Waffengewalt. Lassen Sie Vernunft walten, meine Herren!

Na siehste, ging doch! Jetzt, wo wir Bescheid wissen, bräuchten wir noch ein paar Entwürfe von dir… hopp!

Die Wünsche der Panzerknacker sind nicht leicht zu erfüllen, aber dem bedauernswerten von Trippelin bleibt nichts übrig. Und erniedrigenderweise muss er die neu entwickelten Fluggeräte anschließend auch noch selbst bauen…

Tschüssi, Alterchen! Ach ja, die Rechnung – wir lassen anschreiben… harhar!

DRÖÖÖHN!

Die Ducks indes ahnen noch nichts von der nahenden Bedrohung. Sie widmen sich intensiv der Vorbereitung der Operation „Schwarze Perle"...

Gute Jungs! Heute gibt's die doppelte Ration Fische!

So, mein Spezialtresor ist vorbereitet! Den werde ich auch brauchen, denn heute kommen die 50 Säckchen mit schwarzen Perlen, die ich mir jährlich von meiner Filiale in Dongkong schicken lasse.

Ich bin entehrt! Ich, Theoderich von Trippelin, habe mein Genie in den Dienst des Verbrechens gestellt! Und ich habe nicht einmal die Möglichkeit, Herrn Duck zu warnen.

Trippelin, Schluss mit dem Selbstmitleid! Zeig diesen Kriminellen, aus welchem Holz einer wie du geschnitzt ist! Schlag sie mit ihren eigenen Waffen!

Alsbald wird in der Werft des Luftschiffexperten wieder gehämmert, gefräst, genäht und gepumpt...

KLÄNG!

PFFFFFT!

...und apropos hämmern – schließlich...

BRÖÖÖÖÖAAAAAR!

So, ihr schmierigen Schufte! Nun zeige ich euch mit meiner Hammerhornisse, wie man sich so als Amboss fühlt!

Langsam, nicht drängeln! Heute muss jeder von euch nur ein kleines Säckchen transportieren und kriegt bei Ankunft dafür zwei leckere Heringe.

So, jetzt sind sie alle in der Luft. Ein bisschen Sorgen mach ich mir heute irgendwie doch... Na ja, verkürzen wir uns die Wartezeit auf die Vollzugsmeldung der Operation „Schwarze Perle" mit der Operation „Weißer Schlemmerreis"!

BRÖÖAAR!

Weia! Was ist das denn für ein Krach?

Schauen wir nach, dann sehen wir's!

Gestatten, von Trippelin! Ich habe den Flugspeicher für Ihren Oheim entworfen. Bitte, steigen Sie ein, Ihr Onkel ist in ernster Gefahr! Sie müssen mich unbedingt zur aktuellen Position des Speichers führen!

BRÖPP! BRÖPP!

Kurs 17 Grad Nordnordost! Und Abflug!

Moment, noch mal kurz landen, bitte...

BROOOOAAAAR!

...um die Schurken höchstamtlich hopsnehmen zu können, brauchen wir noch einen Gesetzeshüter. Da kenn ich genau den richtigen!

WILDHÜ

Hallo, guter Mann! Mir ist zu Ohren gelangt, dass eine skrupellose Bande außerhalb jeglicher Jagdsaison einen meines Wissens ohnehin ganzjährig geschützten Pelikan geschossen hat und weitere bedroht. Würden Sie diese Jagdfrevler gerne schnappen?

Und da fragen Sie noch?

Los, los! Bei derart unverzeihlichen Vergehen ist keine Zeit zu verlieren!

KLING! KLANG!

Auch die Panzerknacker trödeln mal nicht rum, sondern gehen direkt zum Angiff über...

Männer, wir sind echt Überflieger! In ein paar Minuten sacken wir alles ein, was die schrägen Vögel heute für Bertel im Säckchen haben...

DRÖÖHN!

Staffelführer Panzer eins ruft Geschwader Knack! Sichtkontakt mit Zielen! Alle Einheiten eigene Einzelziele erfassen und einnetzen! Panzer eins Ende und aus!

Auch Dagobert Duck verfolgt von seinem Fenster aus gespannt den Flug der Pelikane, die sich dem Geldspeicher nähern...

Sie kommen! Operation erfolgreich! Ha!

Zu früh gefreut! Denn urplötzlich und flugs...

SWUSCH!

DRÖÖHN!

Die Panzer-knacker?!!

Meine Güte! Sie sind noch zu weit weg für meine Luftabwehr. Und ich fürchte, sie werden alle meine Pelikane abgefangen haben, bevor sie in Reichweite kommen!

Danach fallen die Kerle garantiert über mich her! Das ist mein Ruin! Schmach und Schande! **Buhuuu!**

Staffelführer an alles, was an Knackern sonst noch so rumschwirrt! Letzter Pelikan eingefangen! Abdrehen und zurück zur Operationsbasis!

DRÖHN!

Nanu, sind die Panzerknacker etwa klug geworden? Sie legen sich nicht mit Dagobert direkt an, sondern begnügen sich mit der ohnehin üppigen Pelikanbeute? Sieht fast so aus...

DROOOHN!

Tja, ein erzieherisch fragwürdiger Leitspruch aus älteren Zeiten besagt ja, Klugheit lasse sich angeblich durch Klapse auf den Hinterkopf noch steigern. Ob das auch für Panzerknacker gilt? Von Trippelin und seine Hammerhornisse zücken jedenfalls das Schlagwerkzeug…

Uaaaaaah!

BRÖÖÖAAR!

BRÖAR!

DONK!

KLONK!

Da ist noch einer! Gehen Sie ein Stück runter, von Trippelin!

BONK!

Panzerknacker gefangen und im Schlepptau, Pelikane wieder frei und ungeplündert – der Rettungstrupp macht sich auf den Restweg zum fliegenden Geldspeicher…

BRÖAR!

Ich armer alter Mann, alle wollen mir nur übel!

Ach Quatsch! Hör zu heulen auf und komm – Überraschung!

Da trifft mich doch glatt der Vogelschlag! Meine Perlen! Meine Pelikane! Jauchzet, frohlocket, ihr Vögelein alle!

Bis auf das Grillhuhn auf dem Tisch natürlich, das ich zur Feier des Tages schnabelknirschend ausgebe. Für euch Schufte und Pelikanschänder gibt's aber nur Dosenbohnen!

Recht so! Jeder, was er verdient! Und seid bloß froh, dass die Pelikane lieber Fisch fressen als fette Knacker!

Grrrrr!

ENDE